'사고력수학의 시작'

팡세

pensées

A3

1학년 | 유추

사고가 자라는 수학

씨투엠

사고력 수학을 묻고 팡세가 답해요

Q: 사고력 수학은 '왜' 해야 하나요?

사고력 수학은 아이에게 낯선 문제를 접하게 함으로써 여러 가지 문제 해결 방법을 아이 스스로 생각하게 하는 것에 목적이 있어요. 정석적인 한 가지 풀이법만 알고 있는 아이는 결국 중등 이후에 나오는 응용 문제에 대한 해결력이 현저히 떨어지게 되지요. 반면 사고력 수학을 통해 여러 가지 풀이법을 스스로 생각하고 알아낸 경험이 있는 아이들은 한 번 막히는 문제도 다른 방법으로 뚫어낼 힘이 생기게 된답니다. 이러한 힘을 기르는 데 있어 사고력 수학이 가장 크게 도움이 된다고 확신해요.

Q: 사고력 수학이 '필수'인가요?

No but Yes! 초등 수학에서 가장 필수적인 것은 교과와 연산이지요. 또 중등에서의 서술형 평가를 대비하기 위한 서술형 학습과 어려운 중등 도형을 헤쳐나가기 위한 도형 학습 정도를 추가하면 돼요. 사고력 수학은 그 다음으로 중요하다고 할 수 있어요. 다만 만약 중등 이후에도 상위권을 꾸준하게 유지하겠다고 하시면 사고력 수학은 필수랍니다.

Q: 사고력 수학, 꼭 '어려운' 문제를 풀어야 하나요?

No! 기존의 사고력 수학 교재가 어려운 이유는 영재교육원 입시 때문이었어요. 상위권 중에서도 더 잘하는 아이, 즉 영재를 골라내는 시험에 사고력수학 문제가 단골로 출제되었고, 이에 대비하기 위해 만들어진 것이 초창기 사고력 수학 교재이지요. 하지만 모든 아이들이 영재일 수는 없고, 또 그래야할 필요도 없어요. 사고력 수학으로 영재를 확실하게 선별할 수 있는 것도 아니에요. 따라서 사고력 수학의 원래 목적, 즉 새로운 문제를 풀 수 있는 능력만 기를 수 있다면 난이도는 중요하지 않답니다. 오히려 어려운 문제는 수학에 대한 아이들의 자신감을 떨어뜨리는 부작용이 있다는 점! 반드시 기억해야 해요.

Q: 사고력 수학 학습에서 어떤 점에 '유의'해야 할까요?

가장 중요한 것은 아이가 스스로 방법을 생각할 수 있는 시간을 충분히 주는 거예요. 엄마나 선생님이 옆에서 방법을 바로 알려주거나 해답지를 줘버리면 사고력 수학의 효과는 없는 거나 마찬가지랍니다. 설령 문제를 못 풀더라도 아이가 스스로 고민하는 습관을 가지고, 방법을 찾아가는 시간을 늘리는 것이 아이의 문제해결력과 집중력을 기르는 방법이라고 꼭 새기며 아이가 스스로 발전할 수 있는 가능성을 믿어 보세요.

또 하나 더 강조하고 싶은 것은 문제의 답을 모두 맞힐 필요가 없다는 거예요. 사고력 수학 문제를 백점 맞는다고 해서 바로 성적이 쑥쑥 오르는 것이 아니에요. 사고력 수학은 훗날 아이가 더 어려운 문제를 풀기 위한 수학적 힘을 기르는 과정으로 봐야 하는 거지요. 그러니 아이가 하나 맞히고 틀리는 것에 일희일비하지 말고 우리 아이가 문제를 어떤 방법으로 풀려고 했고, 왜 어려워 하는지 표현하게 하는 것이 훨씬 중요하답니다. 사고력 수학은 문제의 결과인 답보다 답을 찾아가는 과정 그 자체에 의미가 있다는 사실을 꼭! 꼭! 기억해 주세요.

팡세의 구성과 특징

1. 패턴, 퍼즐과 전략, 유추, 카운팅 - 새로운 시대에 맞는 새로운 사고력 영역!

2. 아이가 혼자서도 술술 풀어나가며 자신감을 기르기에 딱 좋은 난이도!

3. 하루 10분 1장만 풀어도 초등에서 꼭 키워야 하는 사고력을 쑥쑥!

일일 소주제 학습

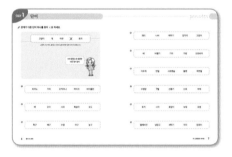

하루에 10분씩 매일 1장씩만 꾸준히 풀면 돼.

주차별 확인학습

5일 동안 배운 것 중 가장 중요한 문제를 복습하는 거야!

월간 마무리 평가

4주 동안 공부한 내용 중 어디가 부족한지 알 수 있다. 삐리삐리~

이 책의 차례

A3

pensées

1 주차

공통점과 차이점

✏️ 나머지와 다른 단어 하나를 찾아 ✕표 하세요.

고양이	개	여우	~~닭~~	토끼

고양이, 개, 여우, 토끼는 다리가 **4**개이지만 닭은 다리가 **2**개입니다.

> 다섯 동물 중 한 동물만 다른 점이 있어.

❶

피아노	기타	실로폰	마이크	바이올린

❷

배	달걀	사과	복숭아	포도

❸

축구	배구	수영	야구	농구

❹

| 개미 | 나비 | 메뚜기 | 잠자리 | 고양이 |

❺

| 배 | 비행기 | 기차 | 가방 | 오토바이 |

❻

| 지우개 | 연필 | 샤프펜슬 | 볼펜 | 색연필 |

❼

| 수영장 | **7월** | 선풍기 | 난로 | 부채 |

❽

| 상어 | 사자 | 호랑이 | 늑대 | 표범 |

❾

| 텔레비전 | 냉장고 | 세탁기 | 의자 | 컴퓨터 |

수의 분류

✏️ 여러 수를 일정한 기준에 따라 라라와 마마로 나누었습니다. 주어진 수에 맞는 이름을 써넣으세요.

라라	마마
7 9 4 1 6	13 54 72 90 36

17: 마마 , **3:** 라라

라라는 한 자리 수이고, 마마는 두 자리 수입니다.

분류된 기준을 찾아야겠지?

❶

라라	마마
55 22 88 66 33	19 48 54 90 27

77: ☐ , 44: ☐ , 13: ☐

❷

라라	마마
9 41 77 23 5	32 8 76 40 4

10: ☐ , 99: ☐ , 36: ☐

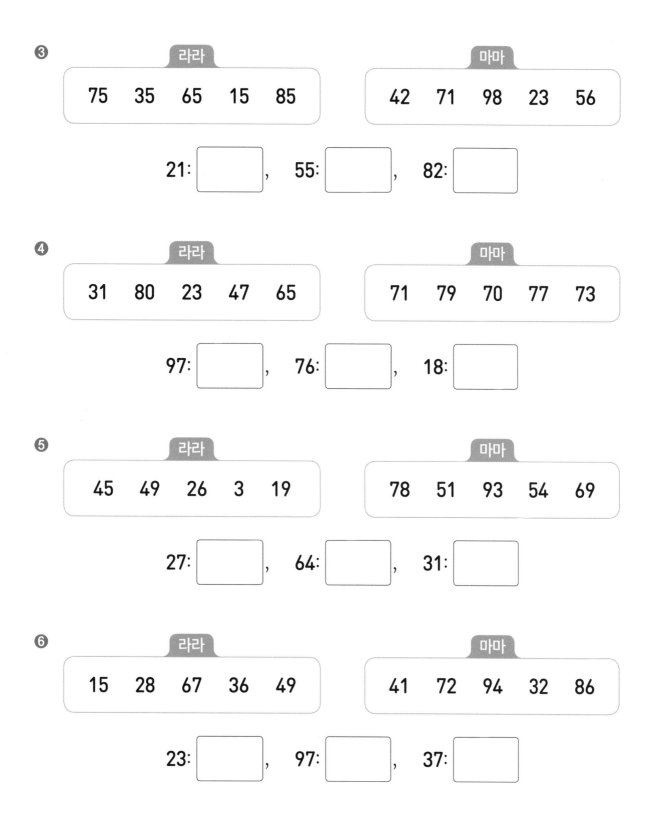

❸

라라

75   35   65   15   85

마마

42   71   98   23   56

21: ☐ ,   55: ☐ ,   82: ☐

❹

라라

31   80   23   47   65

마마

71   79   70   77   73

97: ☐ ,   76: ☐ ,   18: ☐

❺

라라

45   49   26   3   19

마마

78   51   93   54   69

27: ☐ ,   64: ☐ ,   31: ☐

❻

라라

15   28   67   36   49

마마

41   72   94   32   86

23: ☐ ,   97: ☐ ,   37: ☐

✏️ 누누인 것과 누누가 아닌 것으로 분류한 것입니다. 다음 중 누누인 것에 ◯표 하세요.

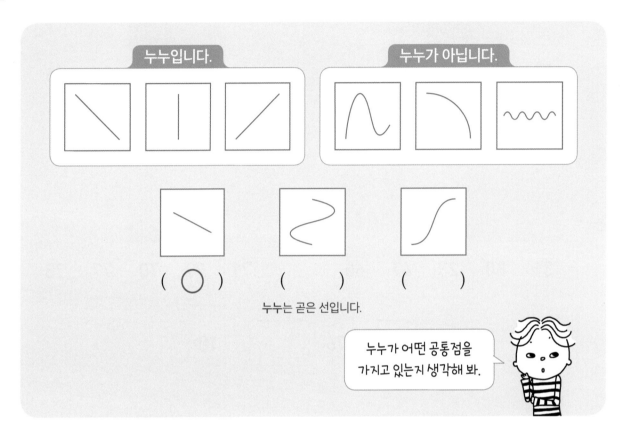

누누입니다.

누누가 아닙니다.

(◯)　(　)　(　)

누누는 곧은 선입니다.

누누가 어떤 공통점을 가지고 있는지 생각해 봐.

❶

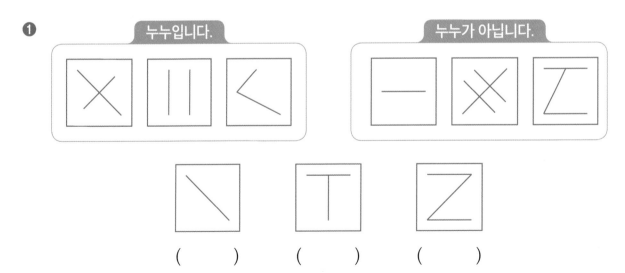

누누입니다.

누누가 아닙니다.

(　)　(　)　(　)

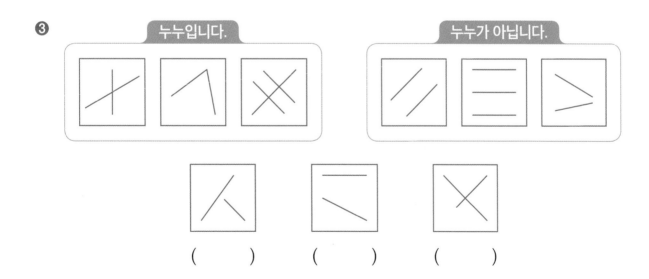

❷ 누누입니다.　　　　　　　　　　누누가 아닙니다.

( )　　　　　( )　　　　　( )

❸ 누누입니다.　　　　　　　　　　누누가 아닙니다.

( )　　　　　( )　　　　　( )

잘못 분류한 모양

✏️ 포포와 푸푸로 분류한 것입니다. 잘못 분류한 것을 하나씩 찾아 ✕표 하세요.

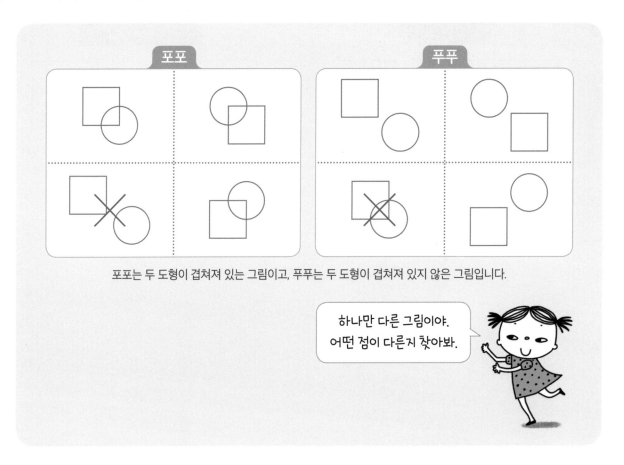

포포는 두 도형이 겹쳐져 있는 그림이고, 푸푸는 두 도형이 겹쳐져 있지 않은 그림입니다.

하나만 다른 그림이야.
어떤 점이 다른지 찾아봐.

❶

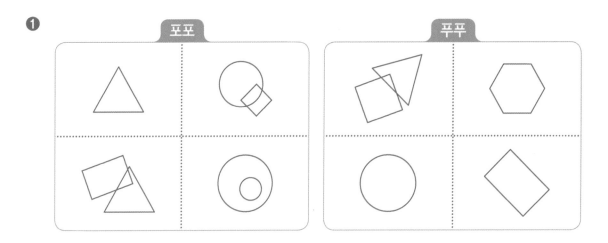

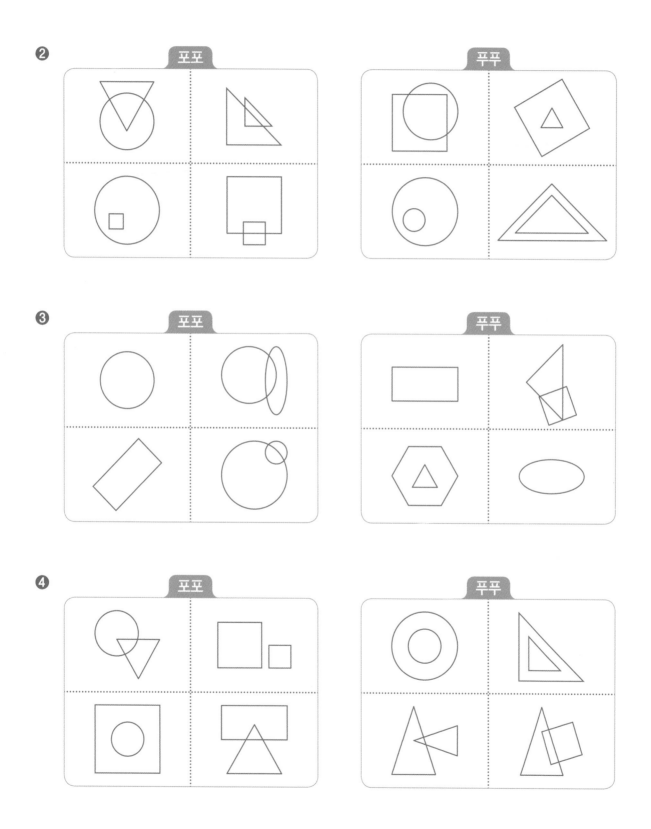

분류하기

✏️ 구구인 것과 구구가 아닌 것을 분류한 것입니다. 다음 중 구구인 것에 모두 ◯표 하세요.

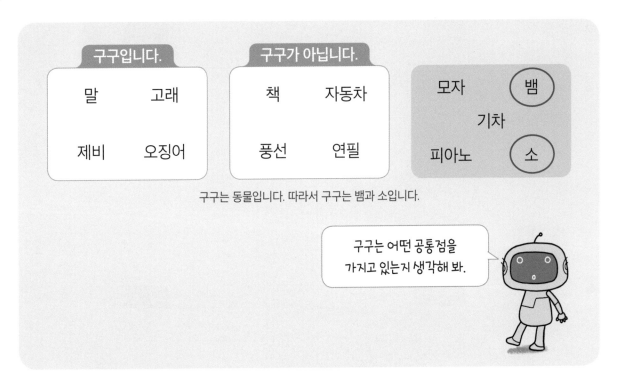

구구입니다.

| 말 | 고래 |
| 제비 | 오징어 |

구구가 아닙니다.

| 책 | 자동차 |
| 풍선 | 연필 |

모자	뱀
기차	
피아노	소

구구는 동물입니다. 따라서 구구는 뱀과 소입니다.

구구는 어떤 공통점을
가지고 있는지 생각해 봐.

❶

구구입니다.

| 우유 | 주스 |
| 콜라 | 커피 |

구구가 아닙니다.

| 빵 | 당근 |
| 치즈 | 자장면 |

피자	사이다
수박	
초콜릿	떡볶이

❷

구구입니다.	구구가 아닙니다.	
64　　28	17　　42	39　　46
82	93	55
19　　37	56　　81	91　　73

❸

❹

✏️ 찬찬인 것과 찬찬이 아닌 것을 분류한 것입니다. 다음 중 찬찬인 것에 모두 ○표 하세요.

❶

찬찬입니다.
눈사람   난로
스키   1월

찬찬이 아닙니다.
초록색   새싹
단풍   선풍기

내복   5월
비
바다   눈

❷

찬찬입니다.
91   97
93
94   98

찬찬이 아닙니다.
65   52
89
34   17

90   47
25
99   92

❸

찬찬입니다.	찬찬이 아닙니다.	

속성 카드

✏️ 카드 2장을 비교하여 모두 같은 속성에 ◯표 하세요.

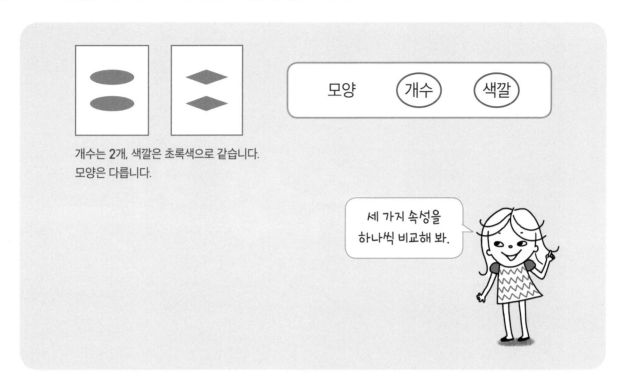

개수는 **2개**, 색깔은 초록색으로 같습니다.
모양은 다릅니다.

세 가지 속성을
하나씩 비교해 봐.

❶ 모양   개수   색깔

❷ 모양   개수   색깔

❸ 모양   개수   색깔

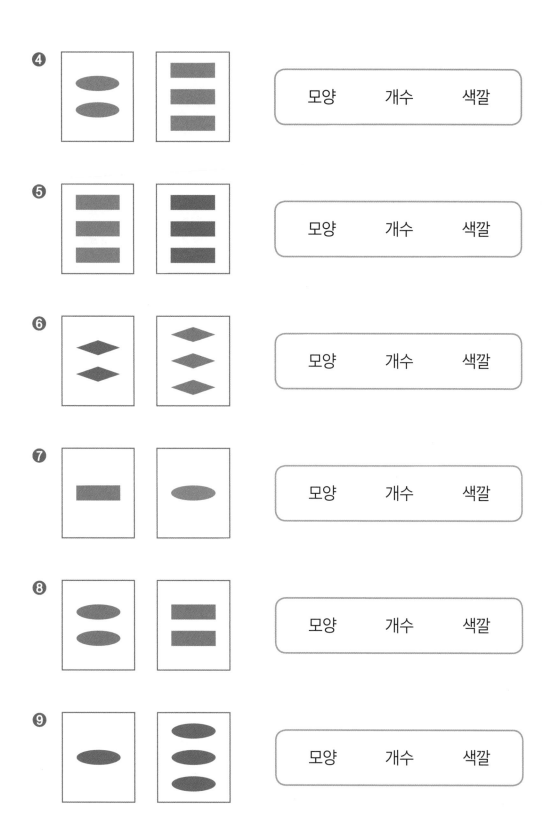

❹ 모양　　개수　　색깔

❺ 모양　　개수　　색깔

❻ 모양　　개수　　색깔

❼ 모양　　개수　　색깔

❽ 모양　　개수　　색깔

❾ 모양　　개수　　색깔

같은 속성 (2)

✏️ 카드 **3장**을 비교하여 모두 같은 속성에 ○표 하세요.

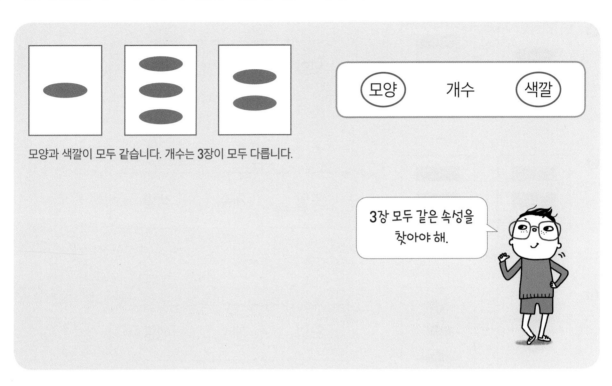

모양과 색깔이 모두 같습니다. 개수는 **3장**이 모두 다릅니다.

3장 모두 같은 속성을 찾아야 해.

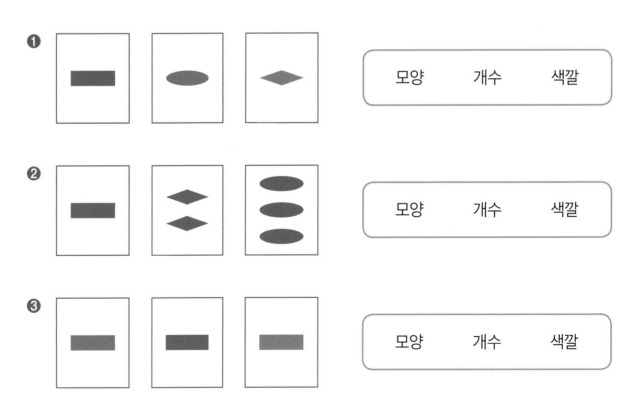

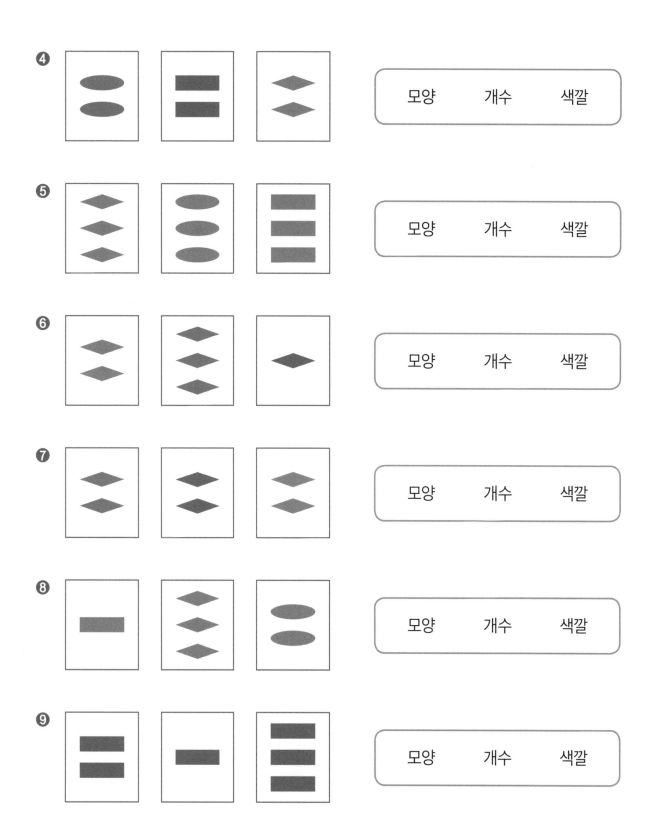

❹ 　모양　　개수　　색깔

❺ 　모양　　개수　　색깔

❻ 　모양　　개수　　색깔

❼ 　모양　　개수　　색깔

❽ 　모양　　개수　　색깔

❾ 　모양　　개수　　색깔

모두 다른 속성

✏️ 카드 3장을 비교하여 모두 다른 속성에 ○표 하세요.

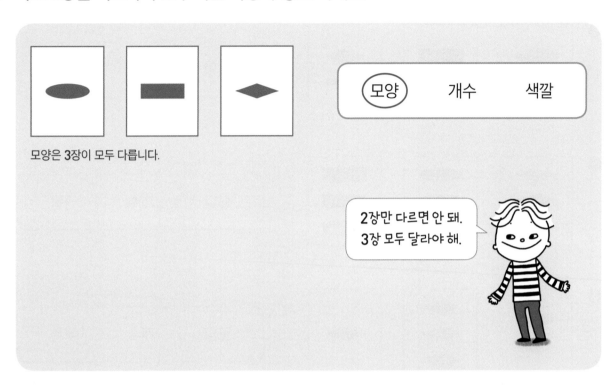

모양은 3장이 모두 다릅니다.

모양 | 개수 | 색깔

2장만 다르면 안 돼.
3장 모두 달라야 해.

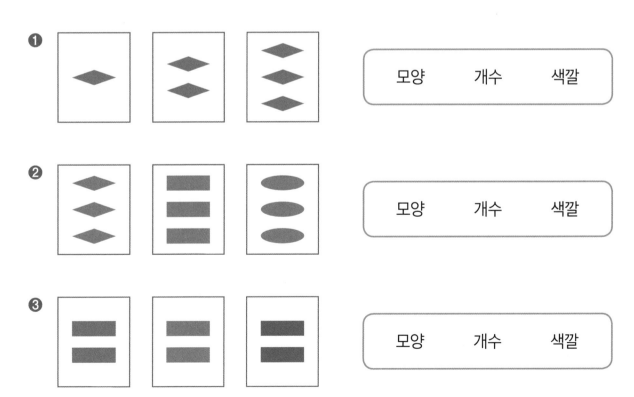

❶ 모양   개수   색깔

❷ 모양   개수   색깔

❸ 모양   개수   색깔

④

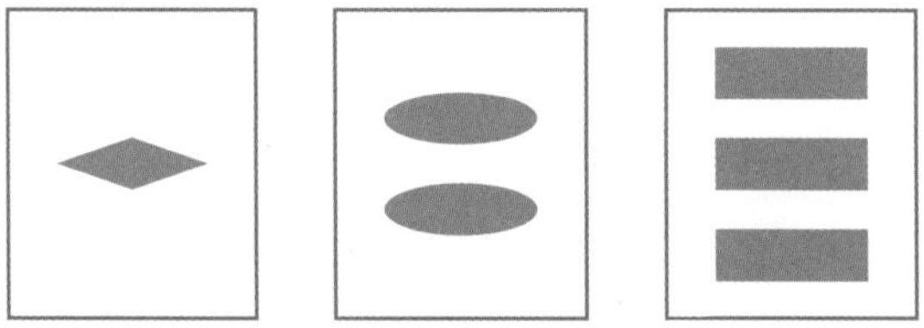

모양　　개수　　색깔

⑤

모양　　개수　　색깔

⑥

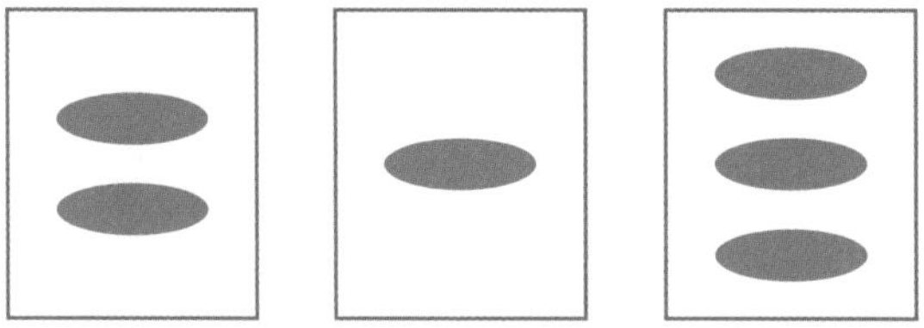

모양　　개수　　색깔

⑦

모양　　개수　　색깔

⑧

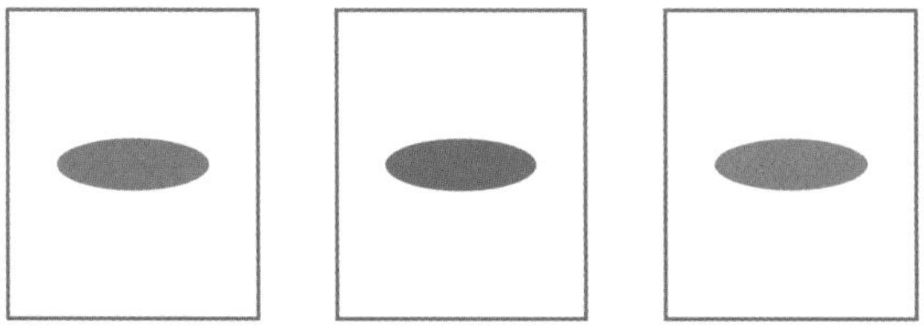

모양　　개수　　색깔

⑨

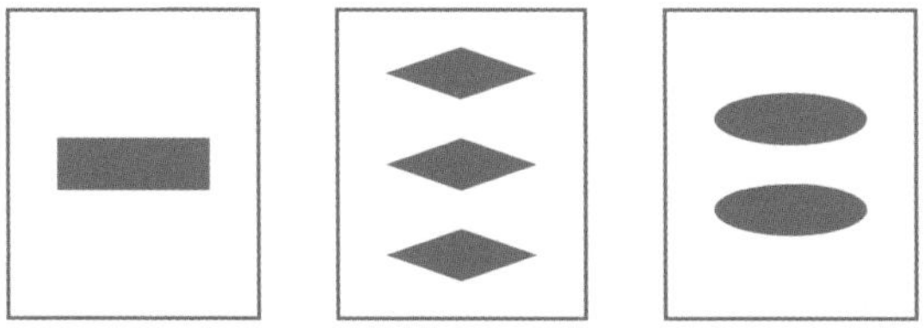

모양　　개수　　색깔

✏️ 속성이 모두 같거나 모두 다른 카드 3장을 '속속'이라고 합니다. 다음 중 속속인 카드 3장에 모두 ◯표 하세요.

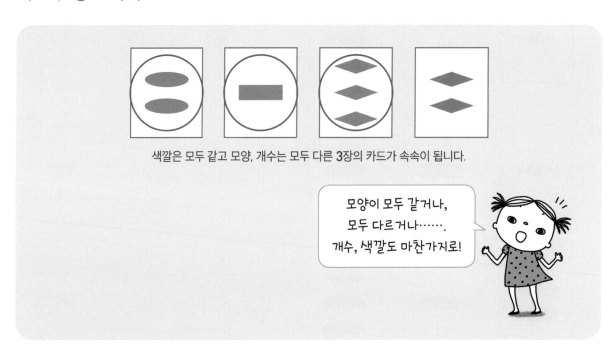

색깔은 모두 같고 모양, 개수는 모두 다른 3장의 카드가 속속이 됩니다.

모양이 모두 같거나,
모두 다르거나…….
개수, 색깔도 마찬가지로!

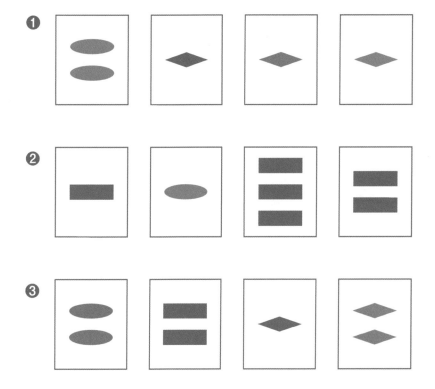

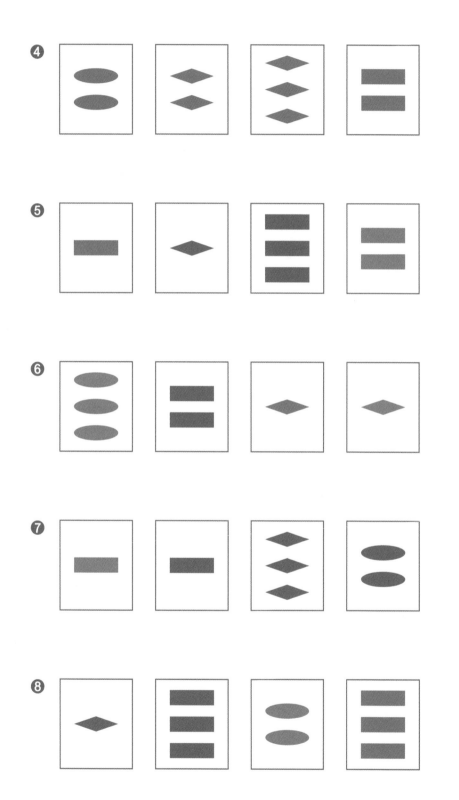

속성이 모두 다른 것

✏️ 다음 중 모양, 색깔, 무늬 속성이 모두 다른 3개를 찾아 ○표 하세요.

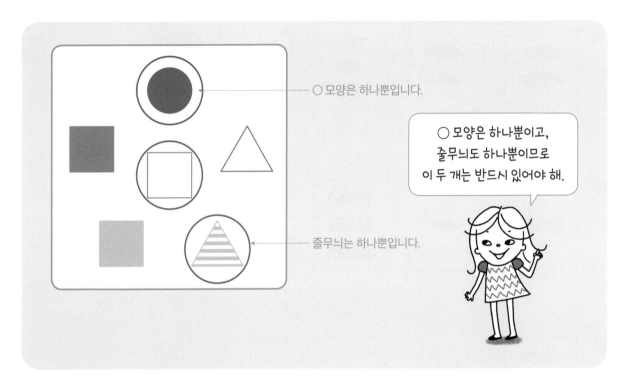

○ 모양은 하나뿐입니다.

○ 모양은 하나뿐이고,
줄무늬도 하나뿐이므로
이 두 개는 반드시 있어야 해.

줄무늬는 하나뿐입니다.

❶
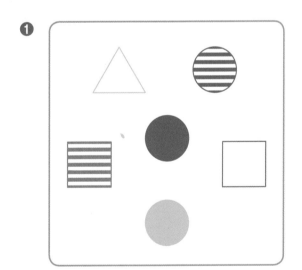

❷
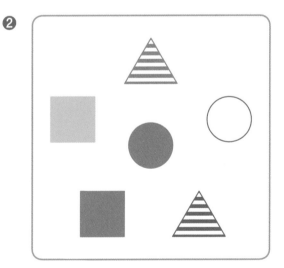

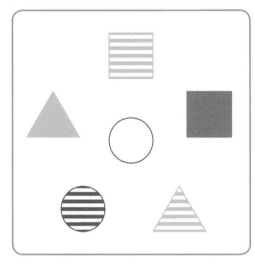

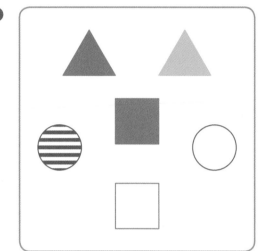

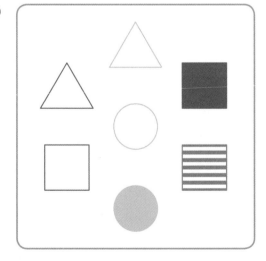

✏️ 속성이 모두 같거나 모두 다른 카드 **3**장을 '속속'이라고 합니다. 다음 중 속속인 카드 **3**장에 모두 ○표 하세요.

❶

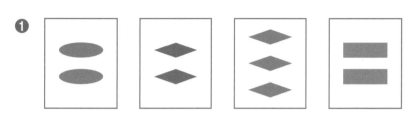

❷

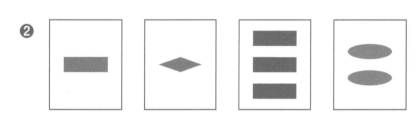

✏️ 다음 중 모양, 색깔, 무늬 속성이 모두 다른 **3**개를 찾아 ○표 하세요.

❸

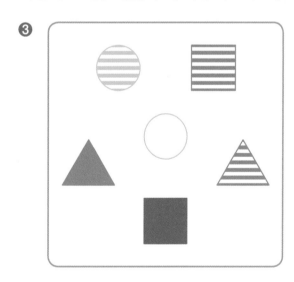

❹

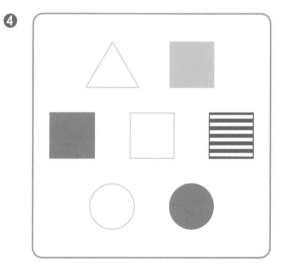

유비추론

단어 유비추론 (1)

✏️ 주어진 두 단어 사이의 관계가 다른 하나를 찾아 ✕표 하세요.

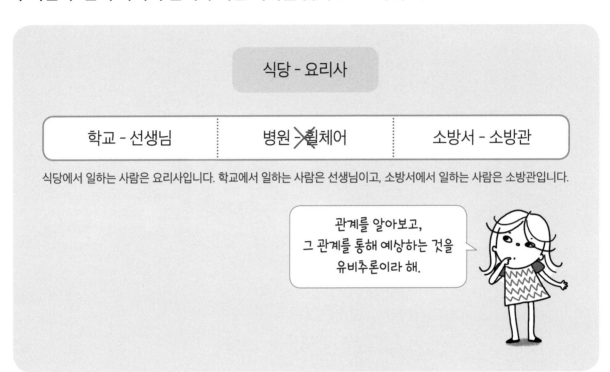

식당 - 요리사

| 학교 - 선생님 | 병원 ✕ 휠체어 | 소방서 - 소방관 |

식당에서 일하는 사람은 요리사입니다. 학교에서 일하는 사람은 선생님이고, 소방서에서 일하는 사람은 소방관입니다.

관계를 알아보고,
그 관계를 통해 예상하는 것을
유비추론이라 해.

❶

엄마 - 아빠

| 할머니 - 할아버지 | 이모 - 이모부 | 나 - 친구 |

❷

컵 - 주스

| 접시 - 떡 | 냄비 - 찌개 | 프라이팬 - 우유 |

❸

머리 - 모자

| 눈 - 얼굴 | 발 - 양말 | 손 - 장갑 |

❹

올챙이 - 개구리

| 송아지 - 소 | 병아리 - 닭 | 고양이 - 호랑이 |

❺

대한민국 - 나라

| 연필 - 학용품 | 텔레비전 - 컴퓨터 | 사자 - 동물 |

❻

치약 - 화장실

| 국자 - 부엌 | 숟가락 - 젓가락 | 이불 - 침실 |

단어 유비추론 (2)

✏️ 단어의 관계를 찾아 빈 곳에 알맞은 단어를 쓰세요.

선풍기	여름
난로	겨울

선풍기는 더운 여름에 사용하고, 난로는 추운 겨울에 사용합니다.

관계를 잘 생각해 봐. 선풍기는 더울 때 사용하고 난로는……

❶

붕어	물고기
비둘기	

❷

축구	축구공
배구	

❸

의사	병원
경찰	

❹

마이크	입
돋보기	

❺

가나다	국어
123	

❻

포도	보라색
바나나	

❼

형	오빠
누나	

❽

새	새장
물고기	

❾

사과	과일
오이	

❿

해	낮
달	

수 유비추론 (1)

✏️ 두 수의 관계가 같은 것을 찾아 ○표 하세요.

왼쪽 수의 십의 자리 숫자와 일의 자리 숫자의 합이 오른쪽 수입니다.

13과 4의 관계,
52와 7의 관계의
공통점을 찾아야 해.

❶
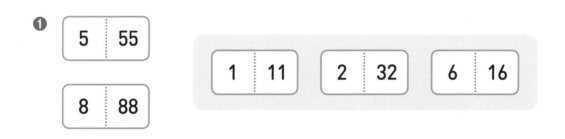

❷
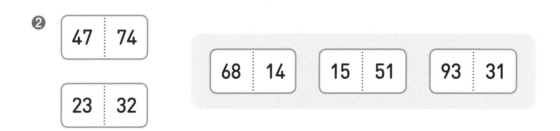

③

52	72

39	99

80	85		44	84		25	52

④

43	54

71	82

66	77		70	95		24	34

⑤

4	8

10	20

7	17		8	16		9	10

⑥

10	9

6	13

12	7		8	9		14	2

수 유비추론 (2)

✏️ 수의 관계를 찾아 빈 곳에 알맞은 수를 쓰세요.

13	16
23	26
33	36

왼쪽 수에 **3**을 더하면 오른쪽 수입니다.

가로의 관계가
무엇인지 생각해 봐.

❶

2	20
4	40
6	

❷

3	33
5	55
7	

❸

17	8
43	7
51	

❹

19	91
24	42
36	

❺

37	32
31	26
25	

❻

61	5
52	3
43	

❼

40	50
60	70
70	

❽

52	41
74	63
85	

도형 유비추론

✏️ 관계가 있는 모양끼리 짝지은 것입니다. 관계가 같은 카드 2장의 기호를 ☐ 안에 쓰세요.

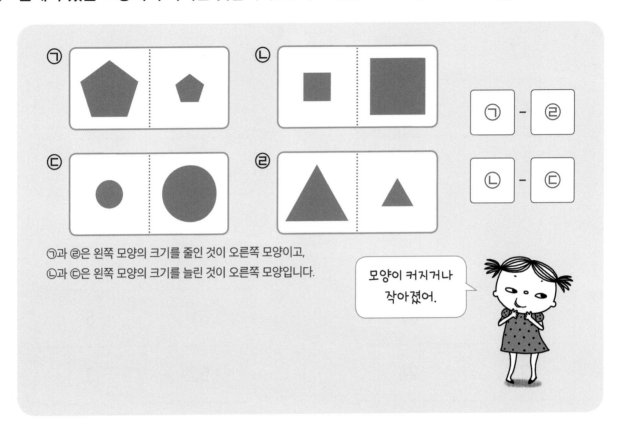

㉠과 ㉣은 왼쪽 모양의 크기를 줄인 것이 오른쪽 모양이고,
㉡과 ㉢은 왼쪽 모양의 크기를 늘린 것이 오른쪽 모양입니다.

모양이 커지거나 작아졌어.

❶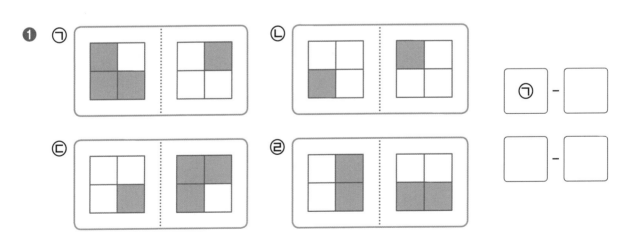

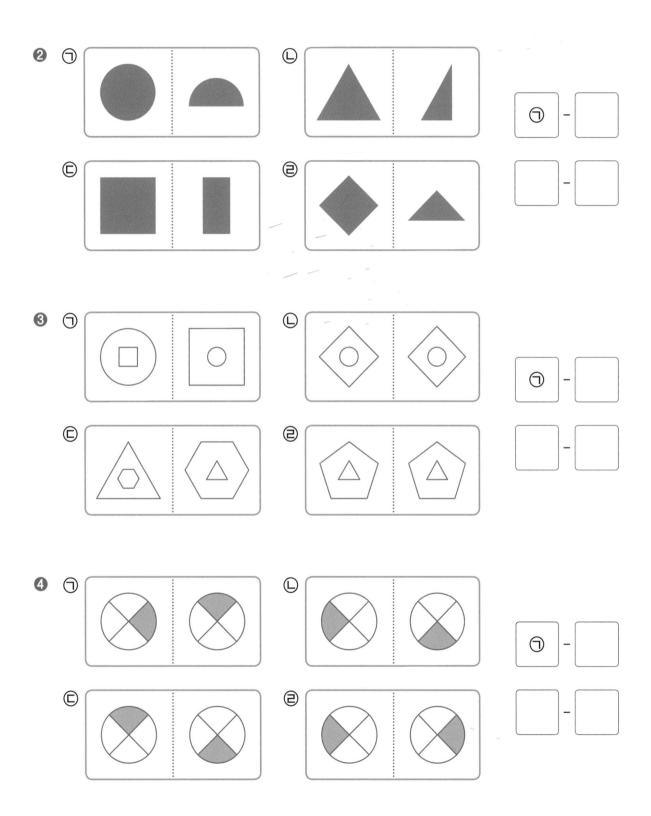

✏️ 수의 관계를 찾아 빈 곳에 알맞은 수를 쓰세요.

❶

24	28
53	57
81	

❷

14	1
36	3
58	

❸

65	55
34	24
98	

❹

47	7
34	4
71	

✏️ 관계가 있는 모양끼리 짝지은 것입니다. 관계가 같은 카드 2장의 기호를 ☐ 안에 쓰세요.

❺ ㉠ 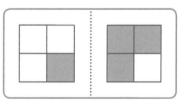　ㄴ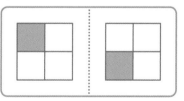

ㄷ 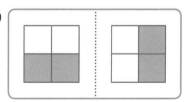　ㄹ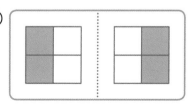

✏️ 주어진 표를 이용하여 암호를 해독하거나 만들어 보세요.

자음	ㄱ	ㄴ	ㄷ	ㄹ	ㅁ	ㅂ	ㅅ	ㅇ	ㅈ	ㅊ	ㅋ	ㅌ	ㅍ	ㅎ
암호	1	2	3	4	5	6	7	8	9	10	11	12	13	14

모음	ㅏ	ㅑ	ㅓ	ㅕ	ㅗ	ㅛ	ㅜ	ㅠ	ㅡ	ㅣ
암호	①	②	③	④	⑤	⑥	⑦	⑧	⑨	⑩

8	①	5	14	⑤
암호				

8 ➡ ㅇ, ① ➡ ㅏ, 5 ➡ ㅁ, 14 ➡ ㅎ, ⑤ ➡ ㅗ

농구
2	⑤	8	1	⑦

ㄴ ➡ 2, ㅗ ➡ ⑤, ㅇ ➡ 8, ㄱ ➡ 1, ㅜ ➡ ⑦

> 먼저 암호에 맞는 자음, 모음을 찾아봐.

❶

8	⑦	4	⑩

나무

❷

12	①	9	⑤

치즈

③

7	⑦	14	①	1

멸치				

④

8	③	5	5	①

오전				

⑤

6	①	1	⑦	2	⑩

이야기					

⑥

3	⑦	3	③	9	⑩

라디오					

⑦

8	④	2	13	⑩	4

당근					

영어 암호

✒ 주어진 표를 이용하여 암호를 해독하거나 만들어 보세요.

알파벳	A	B	C	D	E	F	G	H	I	J	K	L	M
암호	1	2	3	4	5	6	7	8	9	10	11	12	13
알파벳	N	O	P	Q	R	S	T	U	V	W	X	Y	Z
암호	14	15	16	17	18	19	20	21	22	23	24	25	26

20	8	9	14	11
THINK				

20 ➡ T, 8 ➡ H, 9 ➡ I, 14 ➡ N, 11 ➡ K

MATH			
13	1	20	8

M ➡ 13, A ➡ 1, T ➡ 20, H ➡ 8

A, B, C, D ……를 알파벳이라고 해.

❶

3	1	20

RED	

❷

25	5	19

PIG	

3

7	15	15	4

DESK			

4

6	9	19	8

LION			

5

17	21	5	5	14

TIGER				

6

23	8	9	20	5

APPLE				

7

19	15	3	3	5	18

VIOLIN					

카이사르 암호

✏️ 카이사르 암호는 다음과 같이 글자를 일정하게 이동시켜 암호를 만드는 방법입니다. 주어진 방법을 이용하여 암호를 해독하거나 만들어 보세요.

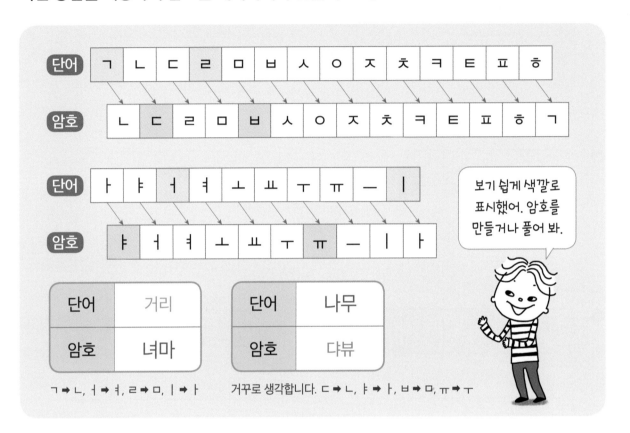

보기 쉽게 색깔로 표시했어. 암호를 만들거나 풀어 봐.

단어	거리
암호	녀마

ㄱ➡ㄴ, ㅓ➡ㅕ, ㄹ➡ㅁ, ㅣ➡ㅑ

단어	나무
암호	댜뷰

거꾸로 생각합니다. ㄷ➡ㄴ, ㅑ➡ㅏ, ㅂ➡ㅁ, ㅠ➡ㅜ

❶

단어	모자
암호	

단어	
암호	조쥬

❷

단어	아기
암호	

단어	
암호	구료

3

단어	학교
암호	

단어	
암호	더부

4

단어	사진
암호	

단어	
암호	서찹

5

단어	너구리
암호	

단어	
암호	처오캬

수 암호 (1)

✏️ 규칙을 찾아 빈칸에 알맞은 수를 써넣으세요.

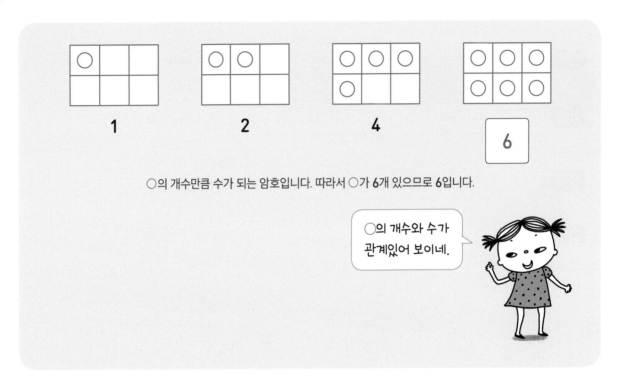

○의 개수만큼 수가 되는 암호입니다. 따라서 ○가 6개 있으므로 6입니다.

○의 개수와 수가 관계있어 보이네.

❶

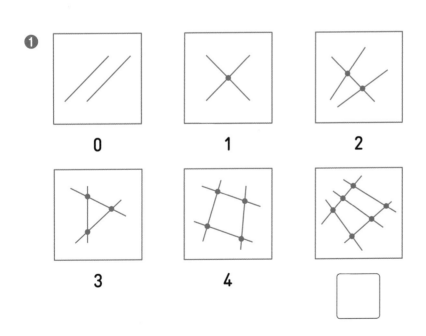

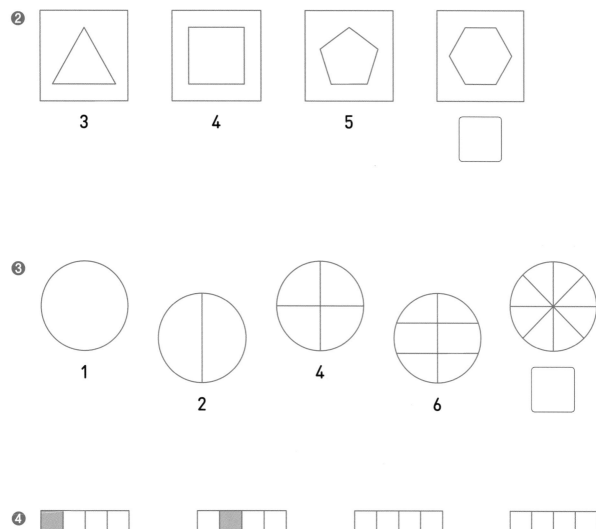

② 3   4   5

③ 1   2   4   6

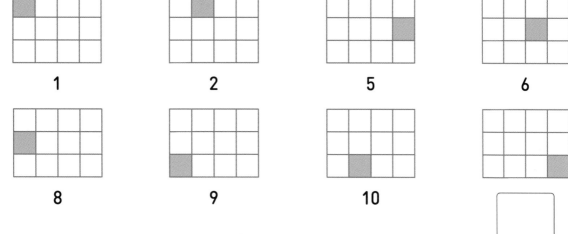

④ 1   2   5   6

8   9   10

✏️ 규칙을 찾아 주어진 수를 암호로 나타내 보세요.

색칠한 칸의 크기와 개수에 따라 수가 달라.

작은 칸은 **1**을 나타내고, 큰 칸은 **5**를 나타냅니다.

❷

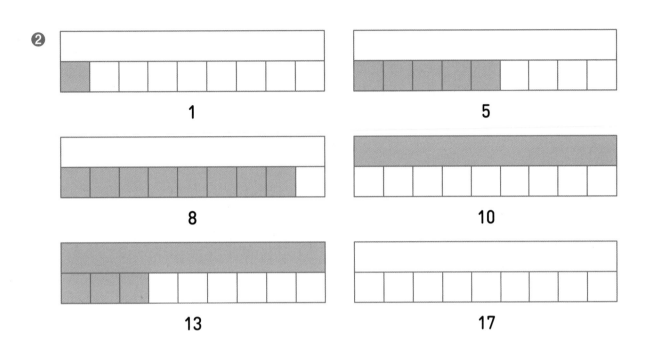

❸

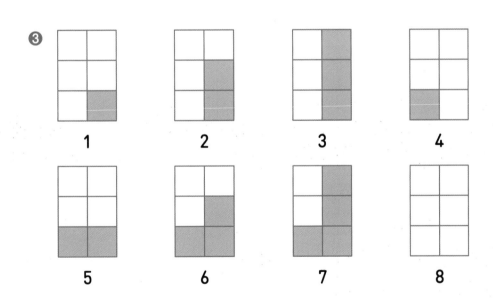

✏️ 주어진 방법을 이용하여 암호를 해독하거나 만들어 보세요.

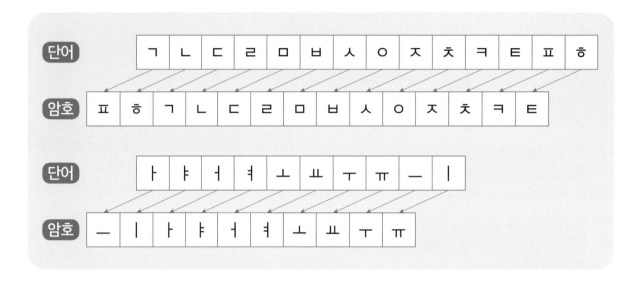

①

단어	사랑
암호	

단어	
암호	너럼

✏️ 규칙을 찾아 주어진 수를 암호로 나타내 보세요.

②

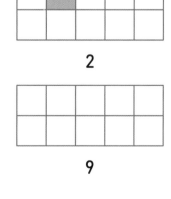

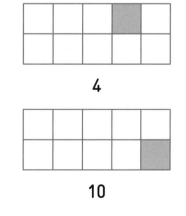

마무리 평가

마무리 평가는 앞에서 공부한 4주차의 유형이 다음과 같은 순서로 나와요.
틀린 문제는 몇 주차인지 확인하여 반드시 다시 한 번 학습하도록 해요.

1주차	**3**주차
2주차	**4**주차

마무리 평가

✤ 나머지와 다른 단어 하나를 찾아 ✕표 하세요.

❶

| 당근 | 오이 | 배추 | 가지 | 자두 |

❷

| 버스 | 트럭 | 오토바이 | 배 | 승용차 |

❸

| 나비 | 참새 | 비둘기 | 원숭이 | 잠자리 |

✤ 카드 3장을 비교하여 모두 다른 속성에 ◯표 하세요.

❹

| 모양 | 개수 | 색깔 |

❺

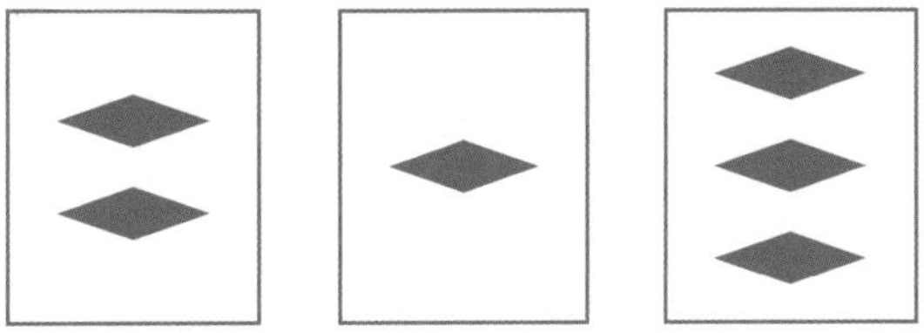

| 모양 | 개수 | 색깔 |

❻

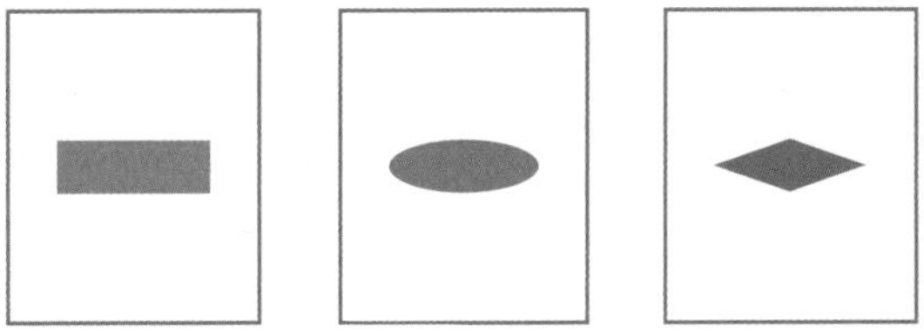

| 모양 | 개수 | 색깔 |

✤ 두 수의 관계가 같은 것을 찾아 ◯표 하세요.

❼

52	59

71	77

65	55

31	39

22	82

❽

72	5

65	1

41	3

95	5

81	9

✤ 주어진 표를 이용하여 암호를 해독하거나 만들어 보세요.

자음	ㄱ	ㄴ	ㄷ	ㄹ	ㅁ	ㅂ	ㅅ	ㅇ	ㅈ	ㅊ	ㅋ	ㅌ	ㅍ	ㅎ
암호	1	2	3	4	5	6	7	8	9	10	11	12	13	14

모음	ㅏ	ㅑ	ㅓ	ㅕ	ㅗ	ㅛ	ㅜ	ㅠ	ㅡ	ㅣ
암호	①	②	③	④	⑤	⑥	⑦	⑧	⑨	⑩

❾

13	⑥	6	③	5

아파트

❖ 여러 수를 일정한 기준에 따라 초초와 추추로 나누었습니다. 주어진 수에 맞는 이름을 써넣으세요.

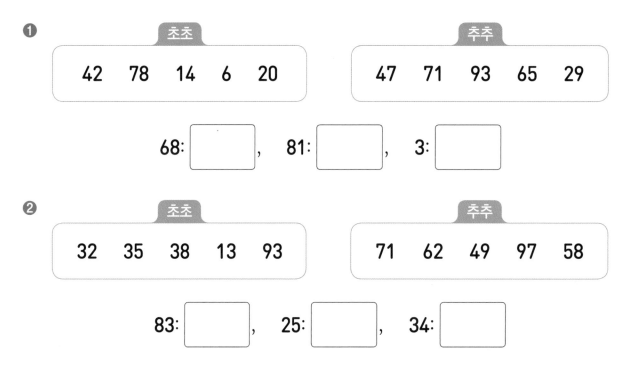

❶
초초

42   78   14   6   20

추추

47   71   93   65   29

68: [   ] ,   81: [   ] ,   3: [   ]

❷
초초

32   35   38   13   93

추추

71   62   49   97   58

83: [   ] ,   25: [   ] ,   34: [   ]

❖ 카드 3장을 비교하여 모두 같은 속성에 ◯표 하세요.

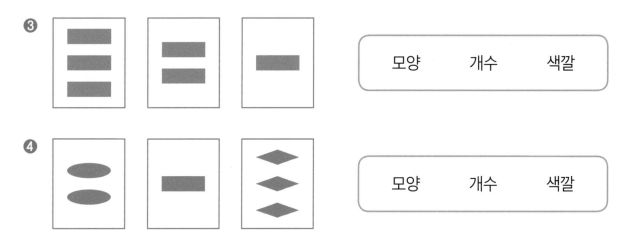

❸

모양   개수   색깔

❹

모양   개수   색깔

✦ 관계를 찾아 빈 곳에 알맞은 단어 또는 수를 쓰세요.

❺
엄마	아빠
할머니	

❻
귀	2
입	

❼
당근	채소
귤	

❽
숟가락	젓가락
치약	

✦ 주어진 표를 이용하여 암호를 해독하거나 만들어 보세요.

알파벳	A	B	C	D	E	F	G	H	I	J	K	L	M
암호	1	2	3	4	5	6	7	8	9	10	11	12	13
알파벳	N	O	P	Q	R	S	T	U	V	W	X	Y	Z
암호	14	15	16	17	18	19	20	21	22	23	24	25	26

❾
7	18	5	5	14

YELLOW					

✤ 퐁퐁인 것과 퐁퐁이 아닌 것으로 분류한 것입니다. 다음 중 퐁퐁인 것에 ◯표 하세요.

❶

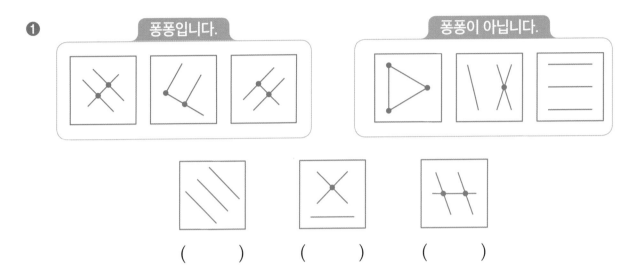

퐁퐁입니다.　　　　　　　퐁퐁이 아닙니다.

(　　)　　　(　　)　　　(　　)

✤ 다음 중 모양, 색깔, 무늬 속성이 모두 다른 3개를 찾아 ◯표 하세요.

❷

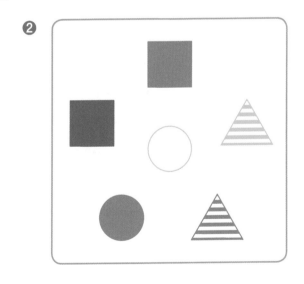

❸

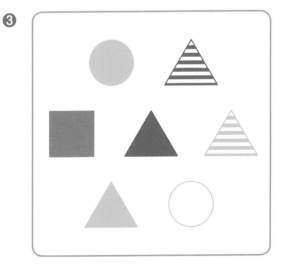

✤ 주어진 두 단어 사이의 관계가 다른 하나를 찾아 ✕표 하세요.

❹

하늘 – 비행기

| 바다 – 배 | 땅 – 자동차 | 강 – 산 |

❺

원숭이 – 바나나

| 토끼 – 당근 | 사자 – 호랑이 | 다람쥐 – 도토리 |

✤ 다음 암호를 보고 규칙을 찾아 빈칸에 알맞은 수를 써넣으세요.

❻

1

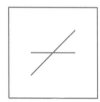

2

3

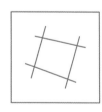

4

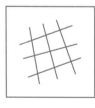

6

❖ 요요와 유유로 분류한 것입니다. 잘못 분류한 것을 찾아 ✕표 하세요.

❶ 요요

❷ 유유

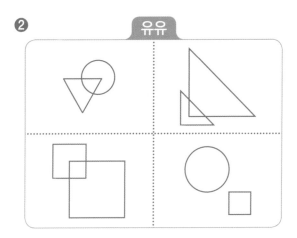

❖ 속성이 모두 같거나 모두 다른 카드 3장을 '속속'이라고 합니다. 다음 중 속속인 카드 3장에 모두 ◯표 하세요.

❸

❹

❺

✤ 관계가 있는 모양끼리 짝지은 것입니다. 관계가 같은 카드 2장의 기호를 ☐ 안에 쓰세요.

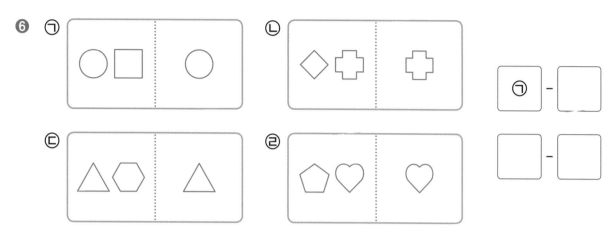

✤ 주어진 방법을 이용하여 암호를 해독하거나 만들어 보세요.

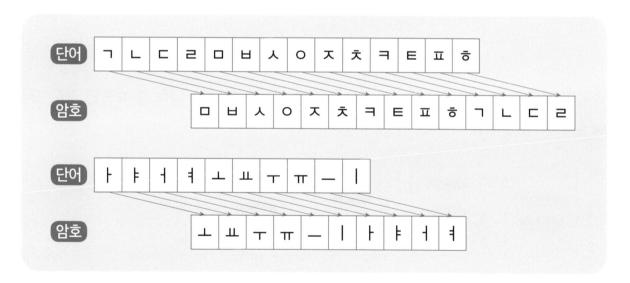

❼

단어	수박
암호	

단어	
암호	자얼

❖ 쫑쫑인 것과 쫑쫑이 아닌 것으로 분류한 것입니다. 다음 중 쫑쫑인 것에 모두 ○표 하세요.

①

쫑쫑입니다.	쫑쫑이 아닙니다.	
컵 젓가락 국자 냄비	연필 침대 이불 텔레비전	숟가락 지우개 접시 샴푸 공책

②

쫑쫑입니다.	쫑쫑이 아닙니다.	
71 26 53 44 35	51 76 92 38 40	17 63 59 47 98

❖ 속성이 모두 같거나 모두 다른 카드 3장을 '속속'이라고 합니다. 다음 중 속속인 카드 3장에 모두 ○표 하세요.

③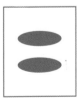

④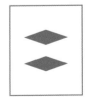

❖ 수의 관계를 찾아 빈 곳에 알맞은 수를 쓰세요.

❺

3	6
5	10
12	

❻

11	9
13	7
15	

❼

44	55
67	78
83	

❽

48	33
57	42
79	

❖ 규칙을 찾아 주어진 수를 암호로 나타내 보세요.

❾

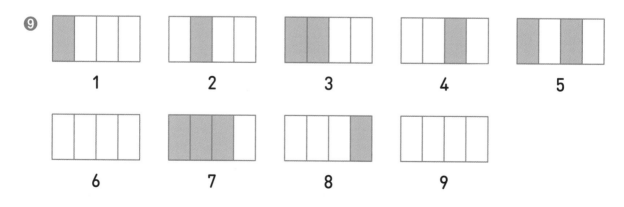

1   2   3   4   5

6   7   8   9

pensées

사고가 자라는 수학
씨투엠

네이버 공식 지원 카페 필즈엠

씨투엠에듀 공식 인스타그램

1주차 공통점과 차이점

DAY 1

나머지와 다른 단어

✏ 나머지와 다른 단어 하나를 찾아 ✕표 하세요.

| 고양이 | 개 | 여우 | 쥐✕ | 토끼 |

고양이, 개, 여우, 토끼는 다리가 4개이지만 쥐는 다리가 2개입니다.

> 다섯 동물 중 한 동물만 다른 점이 있어.

❶

| 피아노 | 기타 | 실로폰 | 마이크✕ | 바이올린 |

피아노, 기타, 실로폰, 바이올린은 악기이고, 마이크는 악기가 아닙니다.

❷

| 배 | 귤✕ | 사과 | 복숭아 | 포도 |

배, 사과, 복숭아, 포도는 껍질을 깎아 먹는 과일이고, 귤은 껍질을 까서 먹는 과일입니다.

❸

| 축구 | 배구 | 야구 | 수영✕ | 농구 |

축구, 배구, 야구, 농구는 공으로 하는 스포츠이고, 수영은 공으로 하는 스포츠가 아닙니다.

---

❹

| 개미 | 나비 | 메뚜기 | 잠자리 | 고양이✕ |

개미, 나비, 메뚜기, 잠자리는 곤충이고, 고양이는 곤충이 아닙니다.

❺

| 배 | 비행기 | 기차 | 개✕ | 오토바이 |

배, 비행기, 기차, 오토바이는 탈 수 있고, 개는 탈 수 없습니다.

❻

| 지우개✕ | 연필 | 샤프펜슬 | 볼펜 | 색연필 |

연필, 샤프펜슬, 볼펜, 색연필은 쓸 수 있지만, 지우개는 쓸 수 없습니다.

❼

| 수영장 | 7월 | 선풍기 | 부채 | 낮✕ |

수영장, 7월, 선풍기, 부채는 여름과 관련이 있고, 낮은 겨울과 관련이 있습니다.

❽

| 상어✕ | 사자 | 호랑이 | 늑대 | 표범 |

사자, 호랑이, 늑대, 표범은 땅 위에 살고, 상어는 물속에 삽니다.

❾

| 텔레비전 | 냉장고 | 세탁기 | 해✕ | 컴퓨터 |

텔레비전, 냉장고, 세탁기, 컴퓨터는 전기를 사용하고, 해는 전기를 사용하지 않습니다.

DAY 2

수의 분류

◆ 여러 수를 일정한 기준에 따라 라라와 마마로 나누었습니다. 주어진 수에 맞는 이름을 써넣으세요.

라라: 7 9 4 1 6
마마: 13 54 72 90 36

17: 마마 , 3: 라라

라라는 한 자리 수이고, 마마는 두 자리 수입니다.

(말풍선) 분류된 기준을 찾아야겠지?

①
라라: 55 22 88 66 33
마마: 19 48 54 90 27

77: 라라 , 44: 라라 , 13: 마마

라라는 십의 자리 숫자와 일의 자리 숫자가 같고, 마마는 십의 자리 숫자와 일의 자리 숫자가 다릅니다.

②
라라: 9 41 77 23 5
마마: 32 8 76 40 4

10: 마마 , 99: 라라 , 36: 마마

라라는 홀수이고, 마마는 짝수입니다.

③
라라: 75 35 65 15 85
마마: 42 71 98 23 56

21: 마마 , 55: 라라 , 82: 마마

라라는 일의 자리 숫자가 5이고, 마마는 일의 자리 숫자가 5가 아닙니다.

④
라라: 31 80 23 47 65
마마: 71 79 70 77 73

97: 라라 , 76: 마마 , 18: 라라

라라는 십의 자리 숫자가 7이 아니고, 마마는 십의 자리 숫자가 7입니다.

⑤
라라: 45 49 26 3 19
마마: 78 51 93 54 69

27: 라라 , 64: 마마 , 31: 라라

라라는 50보다 작은 수이고, 마마는 50보다 큰 수입니다.

⑥
라라: 15 28 67 36 49
마마: 41 72 94 32 86

23: 라라 , 97: 마마 , 37: 라라

라라는 십의 자리 숫자가 일의 자리 숫자보다 작고, 마마는 십의 자리 숫자가 일의 자리 숫자보다 큽니다.

공통점과 차이점

DAY 3

선의 분류

누누인 것과 누누가 아닌 것으로 분류한 것입니다. 다음 중 누누인 것에 ○표 하세요.

누누는 곧은 선입니다.

누누이면 어떤 공통점을
가지고 있는지 생각해 봐.

① 누누는 곧은 선 2개입니다.

누누는 곧은 선이 있습니다.

② 누누는 곧은 선이 있습니다.

③ 누누는 선이 만납니다.

DAY 4

잘못 분류한 모양

✏ 표표와 푸푸로 분류한 것입니다. 잘못 분류한 것을 하나씩 찾아 ×표 하세요.

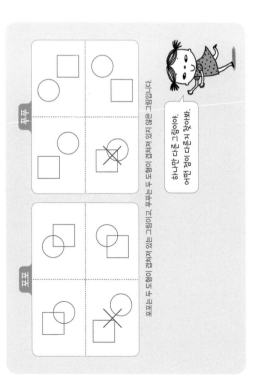

푸푸

표표

하나만 다른 그림이야.
어떤 점이 다른지 찾아봐.

표표는 두 도형이 겹쳐져 있는 그림이고, 푸푸는 두 도형이 겹쳐져 있지 않은 그림입니다.

① 푸푸

표표

표표는 두 도형을 이용해서 만들었고, 푸푸는 한 도형을 이용해서 만들었습니다.

12   평세 A3_유추

---

pensées

푸푸

표표

② 표표는 두 도형이 겹쳐져 있는 그림이고, 푸푸는 한 도형이 다른 도형 안에 들어간 그림입니다.

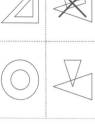

푸푸

표표

③ 표표는 굵은 선으로 만든 도형만 있는 그림이고, 푸푸는 굵은 선으로 만든 도형만 있는 그림입니다.

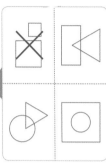

푸푸

표표

④ 표표는 서로 다른 도형 2개가 있는 그림이고, 푸푸는 크기는 다르지만 모양이 같은 도형이 있는 그림입니다.

1주_공통점과 차이점   13

pensées

DAY 5 분류하기

✏️ 구구인 것과 구구가 아닌 것을 분류한 것입니다. 다음 중 구구인 것에 모두 ○표 하세요.

구구입니다.
말 고래
제비 오징어

구구가 아닙니다.
책 자동차
풍선 연필

구구는 동물입니다. 따라서 구구는 뱀과 소입니다.

모자 뱀
기차 소
피아노

구구는 어떤 공통점을 가지고 있는지 생각해 봐.

피자 수박
초콜릿 떡볶이
사이다

① **구구입니다.**
우유 주스
콜라 커피

구구가 아닙니다.
빵 당근
치즈 자장면

구구는 마시는 것입니다.

② **구구입니다.**
64 28
82
19 37

구구가 아닙니다.
17 42
93
56 81

구구는 십의 자리 숫자와 일의 자리 숫자의 합이 10입니다.

39 46
55
91 73

③

구구입니다.

구구가 아닙니다.

구구는 곧은 선과 굽은 선이 모두 있습니다.

④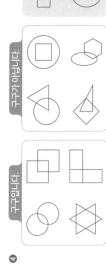

구구가 아닙니다.

구구입니다.

구구는 같은 도형 2개를 사용하여 만든 모양입니다.

확인학습

천천인 것과 천천이 아닌 것을 분류한 것입니다. 다음 중 천천인 것에 모두 ○표 하세요.

❶

천천입니다.	천천이 아닙니다.
눈사람　난로	초록색　새싹
스키　1월	단풍　선풍기

천천은 겨울과 관계 있는 것입니다.

내복　5월

비

바다　눈

❷

천천입니다.	천천이 아닙니다.
91　97	65　52
93	89
94　98	34　17

천천은 십의 자리 숫자가 9인 수입니다.

90　47

25

99　92

❸

천천입니다.	천천이 아닙니다.
≢　≣	≡　×
≠	≢
×	／　×

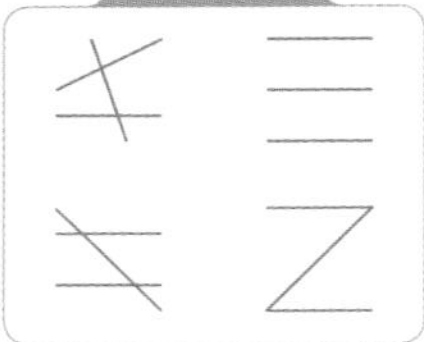

천천은 곧은 선이 3개입니다.

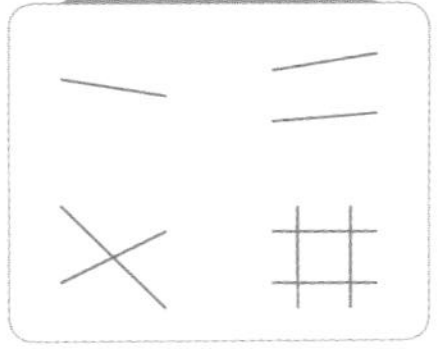

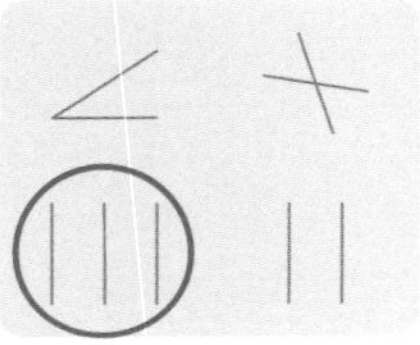

≣　×

／

≤　≡

2주차 속성 카드

DAY 1

같은 속성 (1)

✏️ 카드 2장을 비교하여 모두 같은 속성에 ○표 하세요.

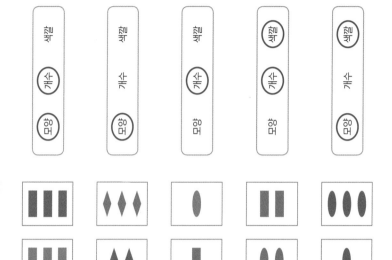

모양   개수   색깔

세 가지 속성을 하나씩 비교해 표 하세요.

개수는 2개, 색깔은 초록색으로 같습니다.
모양은 다릅니다.

❶

모양   개수   색깔

❷

모양   개수   색깔

❸

모양   개수   색깔

❹
모양   개수   색깔

❺
모양   개수   색깔

❻
모양   개수   색깔

❼
모양   개수   색깔

❽
모양   개수   색깔

❾
모양   개수   색깔

DAY 2

같은 속성 (2)

✎ 카드 3장을 비교하여 모두 같은 속성에 ◯표 하세요.

| 모양 | 개수 | 색깔 |

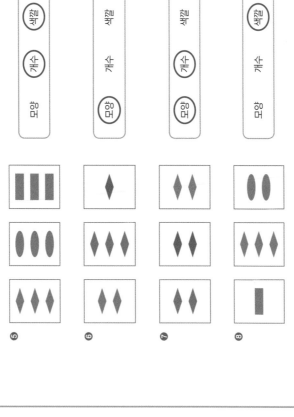

모양과 색깔이 모두 같습니다. 개수는 3장이 모두 다릅니다.

3장 모두 같은 속성을 찾아야 해.

❶ | 모양 | 개수 | 색깔 |

❷ | 모양 | 개수 | 색깔 |

❸ | 모양 | 개수 | 색깔 |

---

❹

| 모양 | 개수 | 색깔 |

❺

| 모양 | 개수 | 색깔 |

❻

| 모양 | 개수 | 색깔 |

❼

| 모양 | 개수 | 색깔 |

❽

| 모양 | 개수 | 색깔 |

❾

| 모양 | 개수 | 색깔 |

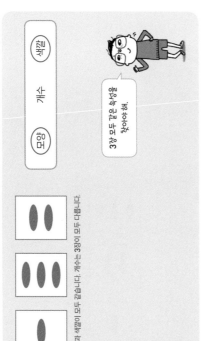

DAY 3 모두 다른 속성

카드 3장을 비교하여 모두 다른 속성에 ○표 하세요.

모양은 3장이 모두 다릅니다.

2장만 다르면 안 돼. 3장 모두 달라야 해.

모양 / 개수 / 색깔

① 모양 / 개수 / 색깔

② 모양 / 개수 / 색깔

③ 모양 / 개수 / 색깔

pensées

④ 모양 / 개수 / 색깔

⑤ 모양 / 개수 / 색깔

⑥ 모양 / 개수 / 색깔

⑦ 모양 / 개수 / 색깔

⑧ 모양 / 개수 / 색깔

⑨ 모양 / 개수 / 색깔

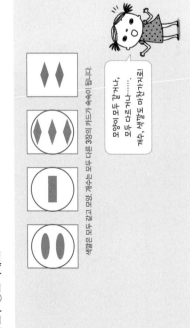

DAY 4

속속 카드

◆ 속성이 모두 같거나 모두 다른 카드 3장을 '속속'이라고 합니다. 다음 중 속속인 카드 3장

예 모두 ○표 하세요.

색깔은 모두 같고 모양, 개수는 모두 다른 3장의 카드가 속속이 됩니다.

> 모양이 모두 같거나,
> 모두 다른 거나······
> 개수, 색깔도 마찬가지로!

❶ 모양, 개수는 모두 같고, 색깔은 모두 다른 카드 3장이 속속이 됩니다.

❷ 모양, 색깔은 모두 같고, 개수는 모두 다른 카드 3장이 속속이 됩니다.

❸ 개수는 모두 같고, 모양, 색깔은 모두 다른 카드 3장이 속속이 됩니다.

❹ 개수, 색깔은 모두 같고, 모양은 모두 다른 카드 3장이 속속이 됩니다.

❺ 모양은 모두 같고, 개수, 색깔은 모두 다른 카드 3장이 속속이 됩니다.

❻ 모양, 개수, 색깔이 모두 다른 카드 3장이 속속이 됩니다.

❼ 색깔은 모두 같고, 개수는 모두 다른 카드 3장이 속속이 됩니다.

❽ 모양, 개수, 색깔이 모두 다른 카드 3장이 속속이 됩니다.

DAY 5

속성이 모두 다른 것

◆ 다음 중 모양, 색깔, 무늬 속성이 모두 다른 3개를 찾아 ○표 하세요.

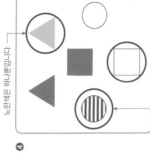

○ 모양은 하나뿐이고,
줄무늬도 하나뿐이므로
이 두 개는 반드시 있어야 해.

○ 모양은 하나뿐입니다.

줄무늬도 하나뿐입니다.

①

△ 모양은 하나뿐입니다.

초록색은 하나뿐입니다.

②

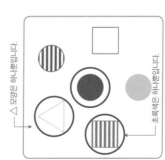

무늬가 없는 것은 하나뿐입니다.

노란색은 하나뿐입니다.

③

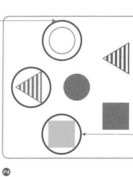

무늬가 없는 것은 하나뿐입니다.

초록색은 하나뿐입니다.

④

노란색은 하나뿐입니다.

줄무늬는 하나뿐입니다.

⑤

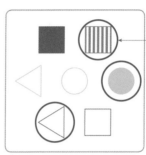

초록색, 줄무늬는 하나뿐입니다.

⑥

□ 모양, 노란색은 하나뿐입니다.

pensées

확인학습

✎ 속성이 모두 같거나 모두 다른 카드 3장을 '속속'이라고 합니다. 다음 중 속속인 카드 3장에 모두 ○표 하세요.

①

② 개수는 모두 같고, 색깔, 모양은 모두 다른 카드 3장이 속속이 됩니다.

모양, 개수, 색깔이 모두 다른 카드 3장이 속속이 됩니다.

✎ 다음 중 모양, 색깔, 무늬 속성이 모두 다른 카드 3개를 찾아 ○표 하세요.

③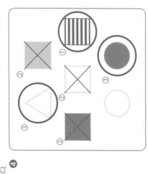

무늬가 없는 것은 하나뿐입니다.

④

① 보라색, 줄무늬는 하나뿐입니다.
② □ 모양을 제외합니다.
③ 남은 3개 중에서 모두 다른 속성이 되도록 카드 2개를 찾습니다.

보라색은 하나뿐입니다.

3주차

유비추론

DAY 1

단어 유비추론 (1)

◆ 주어진 두 단어 사이의 관계가 다른 하나를 찾아 ×표 하세요.

식당 - 요리사		
학교 - 선생님	병원 - ~~휠체어~~	소방서 - 소방관

식당에서 일하는 사람은 요리사고, 학교에서 일하는 사람은 선생님이고, 소방서에서 일하는 사람은 소방관입니다.

관계를 알아보고,
그 관계를 통해 예상하는 것을
유비추론이라 해.

❶

엄마 - 아빠		
할머니 - 할아버지	이모 - 이모부	나 - ~~친구~~

엄마와 아빠는 부부입니다. 할머니와 할아버지, 이모와 이모부 모두 부부입니다.

❷

컵 - 주스		
접시 - 떡	냄비 - 찌개	프라이팬 - ~~우유~~

컵에 주스가 들어 있습니다. 접시에 떡이 있고, 냄비에 찌개가 있습니다.

❸

머리 - 모자		
눈 - ~~안경~~	발 - 양말	손 - 장갑

머리에 모자를 씁니다. 발에 양말을 신고, 손에 장갑을 낍니다.

❹

올챙이 - 개구리		
송아지 - 소	병아리 - 닭	고양이 - ~~호랑이~~

올챙이는 커서 개구리가 됩니다. 송아지는 커서 소가 되고, 병아리는 커서 닭이 됩니다.

❺

대한민국 - 나라		
연필 - 학용품	텔레비전 - ~~컴퓨터~~	사자 - 동물

대한민국은 나라입니다. 연필은 학용품이고, 사자는 동물입니다.

❻

치약 - 화장실		
국자 - 부엌	숟가락 - ~~젓가락~~	이불 - 침실

치약은 화장실에 있습니다. 국자는 부엌에 있고, 이불은 침실에 있습니다.

penseés

DAY 2

단어 유비추론 (2)

✎ 단어의 관계를 찾아 빈 곳에 알맞은 단어를 쓰세요.

> 관계를 잘 생각해 봐.
> 선풍기는 더울 때
> 사용하고 난로는 추운 ......

| 선풍기 | 여름 |
| 난로 | 겨울 |

선풍기는 다운 여름에 사용하고, 난로는 추운 겨울에 사용합니다.

①

| 붕어 | 물고기 |
| 비둘기 | 새 |

붕어는 물고기이고, 비둘기는 새입니다.

②

| 축구 | 축구공 |
| 배구 | 배구공 |

축구 경기에는 축구공을 사용되고, 배구 경기에는 배구공이 사용됩니다.

③

| 의사 | 병원 |
| 경찰 | 경찰서 |

의사는 병원에 있고, 경찰관은 경찰서에 있습니다.

④

| 마이크 | 입 |
| 돋보기 | 눈 |

마이크는 입에서 나오는 소리를 키우고, 돋보기는 눈으로 보이는 것을 키웁니다.

⑤

| 가나다 | 국어 |
| 123 | 수학 |

가나다는 국어 시간에 배우고, 123은 수학 시간에 배웁니다.

⑥

| 포도 | 보라색 |
| 바나나 | 노란색 |

포도는 보라색이고, 바나나는 노란색입니다.

⑦

| 형 | 오빠 |
| 누나 | 언니 |

남자를 부를 때 형, 오빠라고 부르고, 여자를 부를 때 누나, 언니라고 부릅니다.

⑧

| 새 | 새장 |
| 물고기 | 어항 |

새는 새장에서, 물고기는 어항에서 키웁니다.

⑨

| 사과 | 과일 |
| 오이 | 채소 |

사과는 과일, 오이는 채소입니다.

⑩

| 해 | 낮 |
| 달 | 밤 |

해는 낮에, 달은 밤에 떠 있습니다.

DAY 3

수 유비추론 (1)

✎ 두 수의 관계가 같은 것을 찾아 ○표 하세요.

| 13 | 4 |
| 52 | 7 |

15 5 27 3 (46 10)

13과 4의 관계,
52와 7의 관계,
공통점을 찾아야 해.

왼쪽 수의 십의 자리 숫자와 일의 자리 숫자의 합이 오른쪽 수입니다.

❶
| 5 | 55 |
| 8 | 88 |

(1 11) 2 32 6 16

왼쪽 수를 한 번 더 쓴 것이 오른쪽 수입니다.

❷
| 47 | 74 |
| 23 | 32 |

68 14 (15 51) 93 31

두 수의 일의 자리 숫자와 십의 자리 숫자가 서로 바뀌었습니다.

③
| 52 | 72 |
| 39 | 99 |

80 85 (44 84) 25 52

두 수의 일의 자리 숫자가 같습니다.

④
| 43 | 54 |
| 71 | 82 |

(66 77) 70 95 24 34

왼쪽 수에 11을 더한 수가 오른쪽 수입니다.

⑤
| 4 | 8 |
| 10 | 20 |

7 17 (8 16) 9 10

(왼쪽 수) + (왼쪽 수) = (오른쪽 수)입니다.

⑥
| 10 | 9 |
| 6 | 13 |

(12 7) 8 9 14 2

두 수의 합이 19입니다.

pensées

DAY 4

수 유비추론 (2)

✏️ 수의 관계를 찾아 빈 곳에 알맞은 수를 쓰세요.

가로의 관계가 무엇인지 생각해 봐.

13	16
23	26
33	36

왼쪽 수에 3을 더하면 오른쪽 수입니다.

①

2	20
4	40
6	60

왼쪽 수의 오른쪽에 0을 쓰면 오른쪽 수입니다.

②

3	33
5	55
7	77

왼쪽 수를 두 번 쓰면 오른쪽 수입니다.

③

17	8
43	7
51	6

왼쪽 수의 십의 자리 숫자와 일의 자리 숫자를 더하면 오른쪽 수입니다.

④

19	91
24	42
36	63

왼쪽 수의 십의 자리 숫자와 일의 자리 숫자를 바꾸면 오른쪽 수입니다.

⑤

37	32
31	26
25	20

왼쪽 수에서 5를 빼면 오른쪽 수입니다.

⑥

61	5
52	3
43	1

왼쪽 수의 십의 자리 숫자에서 일의 자리 숫자를 빼면 오른쪽 수입니다.

⑦

40	50
60	70
70	80

왼쪽 수에 10을 더하면 오른쪽 수입니다.

⑧

52	41
74	63
85	74

왼쪽 수에서 11을 빼면 오른쪽 수입니다.

3주차 유비추론

DAY 5

도형 유비추론

✎ 관계가 있는 모양끼리 짝지은 것입니다. 관계가 같은 카드 2장의 기호를 ☐ 안에 쓰세요.

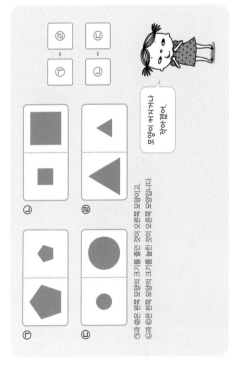

말풍선: 모양이 커지거나 작아졌어.

㉠과 ㉣은 왼쪽 모양의 크기를 줄인 것이 오른쪽 모양이고,
㉢과 ㉡은 왼쪽 모양의 크기를 늘린 것이 오른쪽 모양입니다.

| ㉠ – ㉣ |
| ㉡ – ㉢ |

1

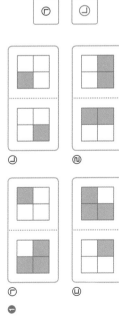

㉠과 ㉡은 왼쪽 모양의 색깔을 반전한 것이 오른쪽 모양입니다.
㉢과 ㉣은 왼쪽 모양을 ↗ 방향으로 반의 반 바퀴만큼 회전한 것이 오른쪽 모양입니다.

| ㉠ – ㉢ |
| ㉡ – ㉣ |

2

㉠과 ㉡은 왼쪽 모양을 가로로 자른 것이 윗쪽 부분이 오른쪽 모양입니다.
㉢과 ㉣은 왼쪽 모양을 세로로 자른 것이 왼쪽 부분이 오른쪽 모양입니다.

| ㉠ – ㉣ |
| ㉡ – ㉢ |

3

㉠과 ㉡은 왼쪽 모양의 큰 것을 작게, 작은 것을 크게 한 것이 오른쪽 모양입니다.
㉢과 ㉣은 왼쪽 모양을 그대로 한 것이 오른쪽 모양입니다.

| ㉠ – ㉢ |
| ㉡ – ㉣ |

4

㉠과 ㉡은 왼쪽 모양을 ↗ 방향으로 반의 반 바퀴만큼 회전한 것이 오른쪽 모양입니다.
㉢과 ㉣은 왼쪽 모양을 ↗ 방향으로 반의 반 바퀴만큼 회전한 것이 오른쪽 모양입니다.

| ㉠ – ㉡ |
| ㉢ – ㉣ |

pensées

✎ 수의 관계를 찾아 빈 곳에 알맞은 수를 쓰세요.

❶

24	28
53	57
81	85

❷

14	1
36	3
58	5

왼쪽 수의 십의 자리 숫자만 쓴 것이 오른쪽 수입니다.

❸

65	55
34	24
98	88

왼쪽 수에 4를 더하면 오른쪽 수입니다.

왼쪽 수에서 10을 빼면 오른쪽 수입니다.

❹

47	7
34	4
71	1

왼쪽 수의 일의 자리 숫자만 쓴 것이 오른쪽 수입니다.

✎ 관계가 있는 모양끼리 짝지은 것입니다. 관계가 같은 카드 2장의 기호를 ☐ 안에 쓰세요.

❺

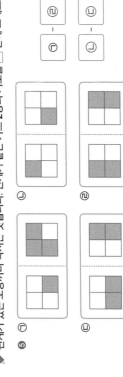

㉠

㉢

㉡

㉣

㉠과 ㉢은 왼쪽 모양의 색깔을 반전한 것이 오른쪽 모양입니다.

㉡과 ㉢은 왼쪽 모양을 ↗ 방향으로 반의 반 바퀴만큼 회전한 것이 오른쪽 모양입니다.

㉠	-	☐
㉡	-	☐

4주차 대응과 암호

DAY 1

한글 암호

✏️ 주어진 표를 이용하여 암호를 해독하거나 만들어 보세요.

자음	ㄱ	ㄴ	ㄷ	ㄹ	ㅁ	ㅂ	ㅅ	ㅇ	ㅈ	ㅊ	ㅋ	ㅌ	ㅍ	ㅎ
암호	1	2	3	4	5	6	7	8	9	10	11	12	13	14

모음	ㅏ	ㅑ	ㅓ	ㅕ	ㅗ	ㅛ	ㅜ	ㅠ	ㅡ	ㅣ
암호	①	②	③	④	⑤	⑥	⑦	⑧	⑨	⑩

8	①	5	14	⑤
암호

8→ㅇ, ①→ㅏ, 5→ㅁ, 14→ㅎ, ⑤→ㅗ

2	⑤	8	1	⑦
녹구

ㄴ→2, ⑤→ㅗ, 8→ㅇ, 1→ㄱ, ⑦→ㅜ

먼저 암호에 맞는
자음, 모음을 찾아봐.

❶

8	⑦	4	⑩
우리

❷

12	①	9	⑤
티조

2	①	5	⑦
나무

10	⑩	9	⑨
치즈

③

7	⑦	14	①	1
수학

④

8	③	5	5	①
엄마

⑤

6	①	1	⑦	2	⑩
바구니

⑥

3	⑦	3	3	9	⑩
두더지

⑦

8	④	2	13	⑩	4
연필

5	④	4	10	⑩
멸치

8	⑤	9	③	2
오전

8	⑩	8	②	1	⑩
이야기

4	①	3	⑩	8	⑤
라디오

3	①	8	1	⑨	2
당근

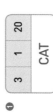

DAY 2

영어 암호

주어진 표를 이용하여 암호를 해독하거나 만들어 보세요.

알파벳	A	B	C	D	E	F	G	H	I	J	K	L	M
암호	1	2	3	4	5	6	7	8	9	10	11	12	13
알파벳	N	O	P	Q	R	S	T	U	V	W	X	Y	Z
암호	14	15	16	17	18	19	20	21	22	23	24	25	26

20	8	9	14	11
		THINK		

20 → T, 8 → H, 9 → I, 14 → N, 11 → K

MATH

13	1	20	8

M → 13, A → 1, T → 20, H → 8

A, B, C, D ……를 알파벳이라고 해.

❶
3	1	20
	CAT	

❷
25	5	19
	YES	

RED
18	5	4

PIG
16	9	7

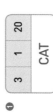

❸
7	15	15	4
	GOOD		

❹
6	9	19	8
	FISH		

❺
17	21	5	5	14
		QUEEN		

❻
23	8	9	20	5
		WHITE		

❼
19	15	3	3	5	18
		SOCCER			

DESK
4	5	19	11

LION
12	9	15	14

TIGER
20	9	7	5	18

APPLE
1	16	16	12	5

VIOLIN
22	9	15	12	9	14

대응과 암호

DAY 3 카이사르 암호

카이사르 암호는 다음과 같이 글자를 일정하게 이동시켜 암호를 만드는 방법입니다. 주어진 방법을 이용하여 암호를 해독하거나 만들어 보세요.

단어	ㄱ	ㄴ	ㄷ	ㄹ	ㅁ	ㅂ	ㅅ	ㅇ	ㅈ	ㅊ	ㅋ	ㅌ	ㅍ	ㅎ
암호	ㄴ	ㄷ	ㄹ	ㅁ	ㅂ	ㅅ	ㅇ	ㅈ	ㅊ	ㅋ	ㅌ	ㅍ	ㅎ	ㄱ

단어	ㅏ	ㅑ	ㅓ	ㅕ	ㅗ	ㅛ	ㅜ	ㅠ	ㅡ	ㅣ
암호	ㅑ	ㅓ	ㅕ	ㅗ	ㅛ	ㅜ	ㅠ	ㅡ	ㅣ	ㅏ

단어	거리	나무
암호	너마	다뮤

가로로 생각합니다. ㄱ→ㄴ, ㅓ→ㅕ, ㅏ→ㅑ, ㄹ→ㅁ, ㅣ→ㅏ

보기 쉽게 생각나는 대로 표시했어. 암호를 만들거나 풀어 봐.

①
단어	모자
암호	보차

단어	여우
암호	조쥬

②
단어	아기
암호	자나

단어	흥도
암호	구묘

글자를 두 칸씩 이동하여 암호를 만듭니다.

단어	ㄱ	ㄴ	ㄷ	ㄹ	ㅁ	ㅂ	ㅅ	ㅇ	ㅈ	ㅊ	ㅋ	ㅌ	ㅍ	ㅎ
암호	ㄷ	ㄹ	ㅁ	ㅂ	ㅅ	ㅇ	ㅈ	ㅊ	ㅋ	ㅌ	ㅍ	ㅎ	ㄱ	ㄴ

단어	ㅏ	ㅑ	ㅓ	ㅕ	ㅗ	ㅛ	ㅜ	ㅠ	ㅡ	ㅣ
암호	ㅓ	ㅕ	ㅗ	ㅛ	ㅜ	ㅠ	ㅡ	ㅣ	ㅏ	ㅑ

③
단어	학교
암호	넌뚀

단어	가로
암호	다부

④

단어	사진
암호	자칠

단어	마을
암호	서첨

⑤

단어	너구리
암호	로드바

단어	아버지
암호	처오카

DAY 4

수 암호 (1)

✏️ 규칙을 찾아 빈칸에 알맞은 수를 써넣으세요.

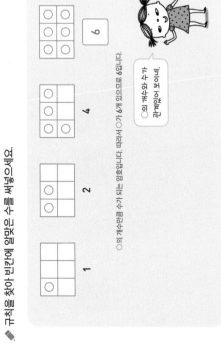

1   2   4   6

○의 개수만큼 수가 되는 암호입니다. 따라서 ○가 6개 있으므로 6입니다.

○의 개수의 판케임이 보이네.

① 선이 만나서 생기는 점의 개수만큼 수가 되는 암호입니다.

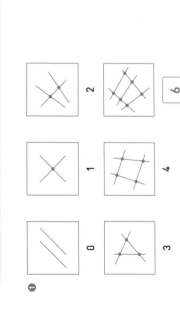

0   1   2

3   4   6

② 변의 개수만큼 수가 되는 암호입니다.

3   4   5   6

③ 선으로 나누어진 영역이 개수만큼 개수만큼 수가 되는 암호입니다.

1   2   4   6   8

④ 색칠되어 있는 곳에 해당되는 수가 암호입니다.

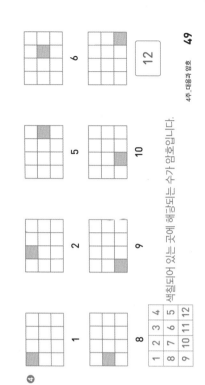

8   1   2   9

5   10   6   12

1	2	3	4
8	7	6	5
9	10	11	12

4주차 대응과 암호

DAY 5

수 암호 (2)

규칙을 찾아 주어진 수를 암호로 나타내 보세요.

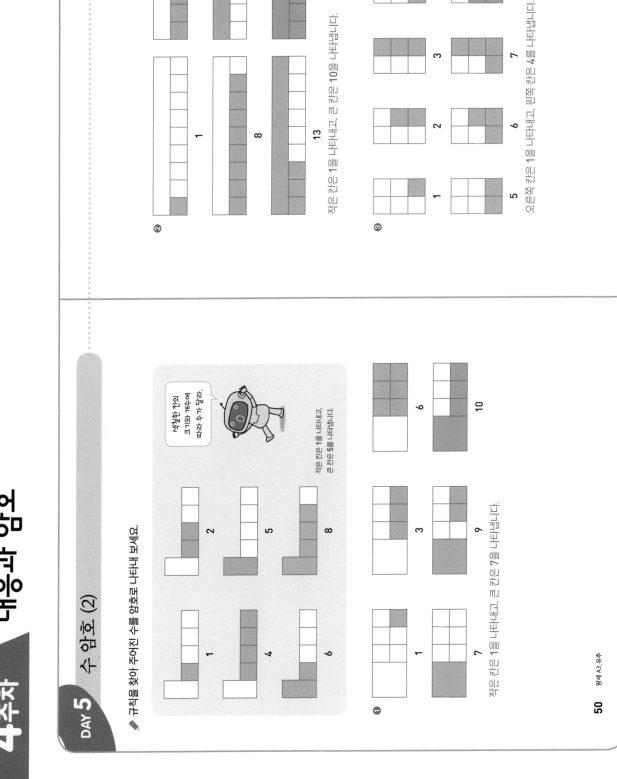

작은 칸은 1을 나타내고, 큰 칸은 5를 나타냅니다.

색칠한 칸의 크기와 개수에 따라 수가 달라.

❶ 작은 칸은 1을 나타내고, 큰 칸은 7을 나타냅니다.

❷

❸ 오른쪽 칸은 1을 나타내고, 왼쪽 칸은 4를 나타냅니다.

작은 칸은 1을 나타내고, 큰 칸은 10을 나타냅니다.

✏️ 주어진 방법을 이용하여 암호를 해독하거나 만들어 보세요.

단어	ㄱ	ㄴ	ㄷ	ㄹ	ㅁ	ㅂ	ㅅ	ㅇ	ㅈ	ㅊ	ㅋ	ㅌ	ㅍ	ㅎ
암호	ㅎ	ㅍ		ㄴ	ㅁ	ㅂ	ㅅ	ㅇ	ㅈ	ㅊ	ㅋ	ㅌ		ㄴ	ㄱ

단어	ㅏ	ㅑ	ㅓ	ㅕ	ㅗ	ㅛ	ㅜ	ㅠ	ㅡ	ㅣ
암호	ㅣ	ㅡ	ㅠ	ㅜ	ㅛ	ㅗ	ㅕ	ㅓ	ㅑ	ㅏ

글자를 두 칸씩 거꾸로 이동하여 암호를 만듭니다.

①

단어	사랑
암호	마음

단어	로봇
암호	너렴

✏️ 규칙을 찾아 주어진 수를 암호로 나타내 보세요.

②

색칠되어 있는 곳에 해당하는 수가 암호입니다.

1	2	3	4	5
6	7	8	9	10

TEST 1
마무리 평가

pensées
제한 시간 15분
맞은 개수 / 9개

❖ 나머지와 다른 단어 하나를 찾아 ✕표 하세요.

① 당근 오이 배추 가지(✕)

당근, 오이, 배추, 가지는 채소이지만 자두는 채소가 아닙니다.

② 버스 트럭(✕) 오토바이 승용차

버스, 트럭, 오토바이, 승용차는 도로 위를 달리지만 배는 도로 위를 달릴 수 없습니다.

③ 나비 참새 비둘기 잠자리(✕)

나비, 참새, 비둘기, 잠자리는 날 수 있지만 원숭이는 날지 못합니다.

❖ 카드 3장을 비교하여 모두 다른 속성에 ○표 하세요.

④ 모양 개수 색깔(○)

⑤ 모양 개수(○) 색깔

⑥ 모양(○) 개수 색깔

❖ 두 수의 관계가 같은 것을 찾아 ○표 하세요.

⑦
| 52 | 59 | | 65 | 55 | | 31(○) | 39(○) | | 22 | 82 |
| 71 | 77 |

두 수의 십의 자리 숫자가 같습니다.

⑧
| 72 | 5 | | 41(○) | 3(○) | | 95 | 5 | | 81 | 9 |
| 65 | 1 |

왼쪽 수의 십의 자리 숫자에서 일의 자리 숫자를 빼면 오른쪽 수입니다.

❖ 주어진 표를 이용하여 암호를 해독하거나 만들어 보세요.

⑨

자음	ㄱ	ㄴ	ㄷ	ㄹ	ㅁ	ㅂ	ㅅ	ㅇ	ㅈ	ㅊ	ㅋ	ㅌ	ㅍ	ㅎ
암호	1	2	3	4	5	6	7	8	9	10	11	12	13	14

모음	ㅏ	ㅑ	ㅓ	ㅕ	ㅗ	ㅛ	ㅜ	ㅠ	ㅡ	ㅣ
암호	①	②	③	④	⑤	⑥	⑦	⑧	⑨	⑩

표범

13	⑥	6	③	5

아파트

8	①	13	①	12	⑨

TEST 2 마무리 평가

❖ 여러 수를 일정한 기준에 따라 초초와 추추로 나누었습니다. 주어진 수에 맞는 이름을 세웁으세요.

❶

초초
42 78 14 6 20

추추
47 71 93 65 29

68: 초초 , 81: 추추

초초는 짝수이고, 추추는 홀수입니다.

❷

초초
32 35 38 13 93

추추
71 62 49 97 58

83: 초초 , 25: 추추 , 34: 초초

초초는 숫자 30이 들어가고, 추추는 숫자 30이 들어가지 않습니다.

❖ 카드 3장을 비교하여 모두 같은 속성에 ◯표 하세요.

❸

모양 개수 색깔

❹

모양 개수 색깔

❖ 관계를 찾아 빈 곳에 알맞은 단어 또는 수를 쓰세요.

❺

엄마	아빠
할머니	할아버지

엄마와 아빠는 부부이고, 할머니와 할아버지도 부부입니다.

❻

귀	2
입	1

카드는 2개이고, 입은 1개입니다.

❼

당근	채소
귤	과일

당근은 채소이고, 귤은 과일입니다.

❽

손가락	젓가락
치약	칫솔

손가락과 젓가락이 짝이고, 치약과 칫솔이 짝입니다.

❖ 주어진 표를 이용하여 암호를 해독하거나 만들어 보세요.

알파벳	A	B	C	D	E	F	G	H	I	J	K	L	M
암호	1	2	3	4	5	6	7	8	9	10	11	12	13
알파벳	N	O	P	Q	R	S	T	U	V	W	X	Y	Z
암호	14	15	16	17	18	19	20	21	22	23	24	25	26

❾

7	18	5	5	14

GREEN

25	5	12	12	15	23

YELLOW

TEST 3 | 마무리 평가

Pensées
제한 시간 15분
맞은 개수 / 6개

❖ 풍풍인 것과 풍풍이 아닌 것으로 분류한 것입니다. 다음 중 풍풍인 것에 ○표 하세요.

풍풍입니다.

풍풍이 아닙니다.

풍풍은 선이 만나는 점이 2개입니다.

❖ 다음 중 모양, 색깔, 무늬 속성이 모두 다른 3개를 찾아 ○표 하세요.

무늬가 없는 것은 하나뿐입니다.
모두 초록색은 하나뿐입니다.

③

① □ 모양, 초록색은 하나뿐입니다.
② 모두 색칠된 무늬는 제외합니다.
③ 남은 3개 중에서 모두 다른 속성이 되도록 2개를 찾습니다.

❖ 주어진 두 단어 사이의 관계가 다른 하나를 찾아 ×표 하세요.

④
| 바다 - 배 | 하늘 - 비행기 |
| 땅 - 자동차 | ~~강 - 산~~ |

하늘에는 비행기가 있습니다. 바다에는 배가 있고, 땅에는 자동차가 있습니다.

⑤
| 토끼 - 당근 | 원숭이 - 바나나 |
| 사자 - ~~고기~~ 동물 | 다람쥐 - 도토리 |

원숭이는 바나나를 좋아합니다. 토끼는 당근을 좋아하고, 다람쥐는 도토리를 좋아합니다.

❖ 다음 암호를 보고 규칙을 찾아 빈칸에 알맞은 수를 써넣으세요.

⑥

선의 개수만큼 수가 되는 암호입니다.

TEST 4 마무리 평가

❖ 요요와 유유로 분류한 것입니다. 잘못 분류한 것을 찾아 ×표 하세요.

❶

요요	유유

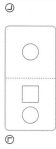

요요는 두 도형이 만나지 않는 그림이고, 유유는 두 도형이 만나는 그림입니다.

❖ 속성이 모두 같거나 모두 다른 카드 3장을 '속속'이라고 합니다. 다음 중 속속인 카드 3장에 모두 ○표 하세요.

❸
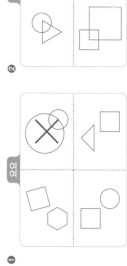

❹
모양, 개수는 모두 같고, 색깔은 모두 다른 카드 3장이 속속이 됩니다.

❺
색깔은 모두 같고, 모양, 개수는 모두 다른 카드 3장이 속속이 됩니다.

모양, 개수, 색깔이 모두 다른 카드 3장이 속속이 됩니다.

도형세 A3.유유

❖ 관계가 있는 모양끼리 짝지은 것입니다. 관계가 같은 카드 2장의 기호를 □ 안에 쓰세요.

❻

㉠ - ㉢
㉡ - ㉣

㉠과 ㉢은 왼쪽 모양 중 왼쪽 도형을 그린 것이 오른쪽 모양이고,
㉡과 ㉣은 왼쪽 모양 중 오른쪽 도형을 그린 것이 오른쪽 모양입니다.

❖ 주어진 방법을 이용하여 암호를 해독하거나 만들어 보세요.

❼

단어	수박
암호	가을

단어	무릎
암호	지연

마무리 평가

TEST 5 마무리 평가

❖ 쫑쫑인 것과 쫑쫑이 아닌 것으로 분류한 것입니다. 다음 중 쫑쫑인 것에 모두 ○표 하세요.

①

쫑쫑입니다.	쫑쫑이 아닙니다.
컵 젓가락	연필 침대
국자 냄비	이불 텔레비전

쫑쫑은 부엌에 있는 물건입니다.

숟가락(○)	지우개
접시(○)	공책
삼푸	

②

쫑쫑입니다.	쫑쫑이 아닙니다.
71 26	51 76
53	92
44 35	38 40

쫑쫑은 십의 자리 숫자와 일의 자리 숫자의 합이 8입니다.

17(○)	63
59	
47	98

❖ 속성이 모두 같거나 모두 다른 카드 3장을 '속속'이라고 합니다. 다음 중 속속인 카드 3장에 모두 ○표 하세요.

③

모양은 모두 같고, 개수, 색깔은 모두 다른 카드 3장이 속속이 됩니다.

④

모양, 개수, 색깔이 모두 다른 카드 3장이 속속이 됩니다.

❖ 수의 관계를 찾아 빈 곳에 알맞은 수를 쓰세요.

⑤

3	6
5	10
12	24

(왼쪽 수)+(왼쪽 수)=(오른쪽 수)

⑥

11	9
13	7
15	5

두 수의 합이 20입니다.

⑦

44	55
67	78
83	94

왼쪽 수에 11을 더하면 오른쪽 수입니다.

⑧

48	33
57	42
79	64

왼쪽 수에서 15를 빼면 오른쪽 수입니다.

❖ 규칙을 찾아 주어진 수를 암호로 나타내 보세요.

⑨

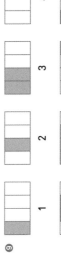

1 2 3 4 5
6 7 8 9

왼쪽부터 첫 번째 칸은 1, 두 번째 칸은 2, 세 번째 칸은 4, 네 번째 칸은 8을 나타냅니다.

pensées

pensées

~씨우엠 **지식과상상** 연구소 since 2013
교재 소개 및 난이도 안내

*일부 교재 출시 예정입니다.

			하	중	상
도형	도형 학습 스타트 **플라토**	6세 ~ 초6	████████████		
연산	연산의 새로운 기준 **칸토의 연산**	5세 ~ 초6	████████████		
	연산으로 상위권 점프 **응용연산**	6세 ~ 초6		████████████	
서술형	수학 실력은 결국 독해력 **수학독해**	6세 ~ 초6	████████		
사고력	반드시 필요한 사고력만 **팡세**	6세 ~ 초6		████████████	
예비 초등 수학	쉽게, 빠르게, 재미있게 **구구단**	5세 ~ 초2	██████		
	저학년 시간 학습 준비 끝 **시계와 달력**		████████		
	꼭 알아야 할 실생활 수학 **길이와 화폐**		█████████		
	기초 튼튼, 개념 탄탄 **분수**		██████		

Man is but a reed,
the most feeble thing in nature;
but he is a thinking reed,

"인간은 자연에서 가장 연약한 갈대에 불과하다.
하지만 인간은 생각하는 갈대이다."

Blaise Pascal, 블레즈 파스칼